Christine Nöstlinger

Der liebe Herr Teufel

Rowohlt

rororo rotfuchs
Herausgegeben von Ute Blaich und Renate Boldt

Christine Nöstlinger: Kunststudium, Mitarbeit am Rundfunk, Friedrich-Bödecker-Preis 1972; Deutscher Jugendbuchpreis 1973; lebt in Wien. Veröffentlichungen: «Wir pfeifen auf den Gurkenkönig» (rotfuchs 153); «Der Spatz in der Hand ist besser als die Taube auf dem Dach» (rotfuchs 132); «SimSalaBim» (rotfuchs 303); «Rüb-rüb-hurra!» (rotfuchs 472); «Die verliebten Riesen» (rotfuchs 471) u. a.

Lehrerheft siehe Seite 95

126.–131. Tausend Januar 1996

Veröffentlicht im Rowohlt Taschenbuch Verlag GmbH, Reinbek bei Hamburg, Dezember 1977 / / Umschlagillustration und Illustrationen im Text Peter Giesel / rotfuchs-comic Jan P. Schniebel, / Gesamtherstellung Clausen & Bosse, Leck / Printed in Germany / 690-ISBN 3 499 20167 4

Werte Kinder,
meine Urgroßmutter glaubte an die Hölle, an Teufel und an Hexen. Sie wußte viele Geschichten von Hexen, Teufeln und der Hölle, und die erzählte sie meiner Großmutter. Meine Großmutter glaubte nicht an die Hölle, und an Teufel und Hexen auch nicht. Die Urgroßmuttergeschichten erzählte sie mir trotzdem, und die Urgroßmuttergeschichten waren sehr schön. Und den Kindern, die keine Großmutter wie die meine haben, möchte ich so eine Geschichte erzählen.

Sie heißt:
Die Geschichte vom lieben Teufel

Liebe Teufel gibt es nicht?
Warum nicht?
Es gibt ja auch arme Teufel.
Und außerdem gibt es überhaupt keine!

Für Leser, die sich in der Hölle nicht gut auskennen:

Alle Höllenbewohner sind eine große Familie mit dem Nachnamen Teufel.

Der Chef der Hölle heißt mit Vornamen Luzifer. Er hat eine Frau und eine Großmutter und ungeheuer viele Kinder. Die Frau heißt Fulminaria, den Vornamen der Großmutter weiß man nicht mehr. Seit drei Ewigkeiten nämlich ist sie schon Großmutter, und kein Teufel kann sich an die Zeit erinnern, wo die Großmutter noch jung war und noch nicht Großmutter genannt wurde. (Teufel sind sehr vergeßlich!)

Außerdem gibt es in der Hölle: Oberteufel, Mittelteufel und Unterteufel. Ferner: Furien (weibliche Halbteufel), Kammerdiener, Köche und Standesbeamte. Daß gestorbene Menschen ebenfalls in der Hölle sind, ist eine Lüge. Es stimmt zwar, daß sich der Chef eine Zeitlang mit dem Gedanken trug, für gestorbene Menschen in der Hölle eine Pension aufzumachen, doch die Großmutter war dagegen. „Mir kommen keine Untermieter ins Haus", hat sie damals gebrüllt. Und da der Chef der Großmutter nie zu widersprechen wagt, ist aus der Sache mit der Pension nichts geworden.

In der Hölle gibt es eine Gewöhnliche und eine Höhere Teufelsschule. Den Chef soll man mit „Höllenfürst" anreden, und Fulminaria hat es gern, wenn man „Höllendurchlauchtigste" zu ihr sagt.

An kalten Tagen ist es in der Hölle so heiß wie in Caorle im August zu Mittag.

Zwischen der Hölle und der Erde fährt ein Lift hin und her.

Alle Teufel haben über der Stirn Hörner. Früher galten Teufel mit großen Hörnern als hübsch. Jetzt sind in der Hölle ganz kleine Hörner modern.

Viele Leute behaupten, daß die Teufel einen Pferdefuß haben, doch das stimmt nicht. Jeder Teufel hat zwei Füße mit je fünf Zehen. Daß Teufel stinken, ist wahr, sie benutzen Mundwasser und Seife und Parfums, die nach faulen Eiern riechen. Ohne Seife, Mundwasser und Parfums würden die Teufel nach Maiglöckchen riechen.

Sterben können Teufel nicht!

Und weil die Teufel nicht sterben können und weil jedes Jahr eine Menge Teufel geboren werden, ist die Altersheimhölle, die gleich hinter der Höllenschule liegt, die größte Höllenabteilung.

Die Großmutter muß nicht ins Altersheim, obwohl sie der älteste Teufel ist. Sie ist sehr mächtig. Mächtige Personen gehen nicht ins Altersheim.

Übrigens:

Alle Teufel haben den gleichen Beruf. Sie sind beauftragt, die Menschen schlecht und böse zu machen. (Wer sie beauftragt hat, ist nicht herauszufinden. „War schon immer so!" sagt die Großmutter.)

Einmal saßen der Chef, seine Frau und die Großmutter in der hintersten Hölle. Dort ist die Wohnung vom Chef. Die Chefin trank Vogelbeerschnaps mit Pfefferkörnern. Luzifer schaute ihr beim Trinken zu. Die Großmutter hockte so nahe am Kaminfeuer, daß ihr riesiges Hinterteil rotschimmernd glühte. Sie murmelte dauernd: „Zwei rechts, zwei links, eine abheben, ein Umschlag, zwei zusammen . . ." Sie strickte an einem Lügennetz, und da Lügennetze unsichtbar sind und da Lügennetze nicht wirken, wenn ein Fehler im Strickmuster ist, mußte die Großmutter genau aufpassen.

Die Frau Teufel trank schon das vierte Krügel Schnaps und wollte sich gerade das fünfte Krügel einschenken, da rief der Teufel: „Nein! der Schnapspreis ist gestiegen!"
„Geizkragen, du", sagte die Chefin, „ich trink' soviel *ich* will!"

Luzifer riß ihr die Schnapsflasche aus der Hand. Die Chefin sprang auf und wollte ihren Mann an den Haaren reißen. Sie hatte schon ein Büschel von den struppigen Teufelshaaren in der Faust — sogar eines der drei goldenen Haare war darunter —, da stieß sie einen entsetzlichen Schrei aus, ließ das Haarbüschel los und setzte sich wieder auf ihren Stuhl.

Die Großmutter hatte sie mit einer Stricknadel in den Hintern gestochen. Die Stricknadeln der

Großmutter waren sehr spitz. Die Frau Teufel jammerte. Die Großmutter jammerte auch, weil ihr beim Stechen mehrere Maschen von den Nadeln gefallen waren. „Die find ich nie mehr", jammerte sie, zog das unsichtbare Lügennetz von den Nadeln und warf es ins Kaminfeuer. Die unsichtbare Strikkerei verbrannte zischend mit einer grasgrünen Flamme.

„Mit rostigen Nadeln stechen, ist seit zehn Jahren verboten", sagte die Frau Teufel, „man kann eine Blutvergiftung davon bekommen."

„Papperlapapp, was da alles verboten wär", murmelte die Großmutter, „Zwicken mit glühenden Zangen habt ihr abgeschafft, und Beißen mit zugefeilten Zähnen soll auch verboten sein. Was ist denn das noch für ein Leben!"

„Aber Oma", sagte Luzifer, „für dich haben wir doch immer ein Extragesetz gemacht. Du darfst weiter beißen und zwicken und kratzen."

„Leider", rief die Frau Teufel, „Extragesetze gehören auch abgeschafft!" Die Frau Teufel wollte wieder nach der Schnapsflasche greifen.

„Laß das", schrie Luzifer, „ich bin nicht geizig. Aber die Geschäfte gehen so schlecht wie noch nie!"

„Verdammt und zugenäht", brüllte die Frau Teufel so laut, daß der Großmutter vor Schreck die Stricknadeln aus der Hand fielen, „ich laß mir von dir doch keinen Bären aufbinden, ich nicht!"

Sie brüllte, sie habe erst gestern durch das Erdenfernrohr auf die Welt hinaufgeschaut, und die Welt sei voll von Teufelei gewesen.

„Von Tag zu Tag nimmt oben die Teufelei zu! Und du sagst, die Geschäfte gehen schlecht! Da kann ich nur lachen!“ Und dann lachte die Frau Teufel sehr lang und ziemlich laut.

Als sich die Frau Teufel endlich beruhigt hatte, sagte Luzifer: „Herzblatt, du irrst. Seit einem Jahr haben wir keinen Teufelspakt geschlossen. Nicht einmal eine winzige Einflüsterung ist uns geglückt. Reine Menschenarbeit ist das, was du durch das Erdenfernrohr gesehen hast.“

„Ehrenwort?“ fragte die Frau Teufel und wurde so bleich im Gesicht, wie das für einen Teufel möglich ist. Sie wurde also schweinsrosa im Gesicht.

Der Teufel zeigte auf das unsichtbare Lügennetz-Garnknäuel. „Siebenundneunzig Lügennetze haben wir auf Lager. Früher ist die Großmutter mit dem Stricken gar nicht nachgekommen. Jetzt bleiben wir auf den Netzen sitzen!“

„Na ja, Lügennetze sind ja auch das Letzte“, sagte die Frau Teufel, „aber die Kanonenkugeln und der Maschinengewehrhandel, das bringt doch was ein.“

Der Teufel lachte bitter. Dann erklärte er seiner Frau, daß die Hölle schon seit Jahren keine Kanonenkugeln exportiert habe und daß die Maschinengewehre im hintersten Lager verstaubten, weil die Höllenmaschinen viel zu altmodisch gebaut seien. „Die Menschenfabriken“, klagte er, „erzeugen das Zeug billiger und schneller!“

Der Frau Teufel gingen die schlechten Geschäfte den ganzen Tag im Kopf herum. Das kommt davon, dachte sie, wenn man dauernd Kinder und Kinder und wieder Kinder bekommt, dann merkt man gar nicht, was so alles geschieht! Baby baden, Baby wickeln, Bauchhaare bürsten, Ohren ausputzen!

Das wird jetzt anders!

Jetzt kümmere ich mich um die Geschäfte!

(Die Frau Teufel wollte nämlich nicht glauben, daß auf der Welt keine Arbeit mehr war. Sie glaubte, der Teufel sei bloß zu faul, um Arbeit zu suchen.)

In der Nacht träumte die Frau Teufel fürchterliche Sachen. Sie träumte, daß alle Teufel arbeitslos seien und ihre Arbeitslosenunterstützung forderten. Sie träumte, daß alle Öfen in der Hölle erloschen, weil Luzifer kein Geld für Brennmaterial hatte, und sie träumte davon, daß alle Teufel in den Streik traten und ihren Mann vom Thron verjagten.

Am Morgen stieg die Frau Teufel mit einem höllischen Brummschädel aus dem Bett. Luzifer schnarchte noch. Die Frau Teufel zog ihn an den drei goldenen Haaren und beutelte ihn an den Hörnern und kurbelte seinen Schwanz im Kreis, doch der Teufel grunzte verschlafen: „Hör auf, du Satansbraten“, und zog sich die Decke über den Kopf.

„Faules Luder“, murmelte die Frau Teufel. Sie schlüpfte in die Hausschuhe und setzte sich auf den Plüschhocker vor dem Frisiertisch.

„Selbst ist die Frau!“ sagte sie zu ihrem Spiegelbild, und dann kramte sie in den fünfzehn Schubladen des Frisiertischchens. Sie suchte nach dem Zauberbuch mit dem Titel „Die Kunst, ein Mensch zu werden“. Sie fand eine Menge Bücher in den Laden. „Die Kunst, Lügennetze zu sehen“ und „Arbeitsanleitung für ein Angstnachthemd Größe 40—42“ und „Fernlehrkurs für Zangenzwicken und Schwanzbeißen mit drei Schallplatten“, doch „Die Kunst, ein Mensch zu werden“ fand sie nicht.

Die Frau Teufel stützte die Arme auf die Tischplatte und den Kopf in die Arme. Sie versuchte sich an den Inhalt des Buches zu erinnern. Sie erinnerte sich: Wenn man ein pensionierter Rauchfangkehrer werden will, muß man siebenmal murmeln:

Ruß und Ofenrohr,
ich komme mir
schon seltsam vor!

Und wenn man ein Maronibrater werden will, dann muß man viermal murmeln:

Kastanien über der Glut,
nur keine Wut,
habe doch Mut,
die Verwandlung geht gut,
es fehlt bloß der Hut!

Die Frau Teufel wollte aber weder ein pensionierter Rauchfangkehrer noch ein Maronibrater werden, sondern eine schöne Frau.

Die Frau Teufel versuchte Zaubersprüche zu erfinden.

Sie erfand:

Frau, Frau
Augen so blau,
Zähne so weiß,
mache mit Fleiß!

Und:

Alle Igel klagen über Föhn
und machen die Frau Teufel schön!

Hokus pokus
schau genau,
du bist schon
eine schöne Frau!

Es nützte nichts. Ihr Gesicht blieb krebsrot und ihre Nase burgunderrot, und die Zähne blieben dottergelb, und die kohlrabenschwarzen Haare und die grasgrünen Hörner standen, wie eh und je und ewig, steif vom Kopf weg. Der einzige Erfolg der Zaubersprüche war, daß sich ihr linkes grasgrünes Horn verbog und jetzt einem Regenschirmgriff ähnlich sah und daß auf ihrem Kinn drei große, behaarte Warzen wuchsen.

Wütend stampfte die Frau Teufel mit dem Fuß auf. Die Großmutter — die, in ein Wolfsfell gewickelt, vor dem Kamin lag — wurde davon munter und schnaufte empört: „Was machst du denn vor dem Mittagessen Lärm, das ist verboten!"

„Omi", sagte die Frau Teufel freundlich, und das fiel ihr gar nicht leicht, weil sie die Großmutter nicht ausstehen konnte, „Omi, wie geht der Zauberspruch, mit dem man sich in eine schöne Menschenfrau verwandeln kann?"

„Hab ich längst vergessen", murmelte die Großmutter, wickelte das Wolfsfell enger um ihren Bauch, drehte sich um und schnarchte weiter.

„Rabenaas", schimpfte die Frau Teufel. Es tat ihr leid, ganz umsonst freundlich gewesen zu sein. Sie schlüpfte in den Schlafrock und lief zur Höllenbücherei. Sie wollte sich vom Bibliothekar das Buch ausleihen. Leider war Mittwoch, und die Bücherei war geschlossen. (Der Bibliothekar fuhr jeden Mittwoch auf die Erde und besorgte sich die Neuerscheinungen und die Zeitungen der vergangenen Woche.) Die Frau Teufel lief in der ganzen Hölle herum und fragte nach dem Schöne-Frau-Spruch. Keiner kannte ihn.

Beim Mittagessen — im großen Höllenspeisesaal — fragte sie noch immer nach dem Spruch.

Der Höllenspeisesaal war riesengroß. Der Koch fuhr mit einem quietschenden Rollwagen durch den Saal. Die Höllenkinder spielten Fangen. Zwei Furien stritten sich und versuchten, einander die Flügel auszureißen. (Furien haben vier kleine Flügel, zwei an den Schulterblättern und zwei am Hals.) Drei kleine Teufel balgten um einen gepolsterten Stuhl und vier große Teufel um einen Silberlöffel.

Doch als die Großmutter siebenmal mit der Bratengabel auf den Totenkopfgong schlug und „Verteufelte Mahlzeit" wünschte, wurde es still im Speisesaal.

Der Koch und die Küchenfurien teilten das Essen aus. Die Frau Teufel aß drei Portionen Ziegenbein. Luzifer nagte an seinem Ziegenbein herum. Er hatte sowohl oben als auch unten im Gebiß je zwei wackelige Schneidezähne.

„Der Koch kocht immer schlechter", schnaufte Luzifer.

„Deine Zähne werden immer schlechter", sagte die Frau Teufel und biß ein Ziegenbeingelenk in der Mitte durch.

„Warum, bitte", fragte die Großmutter — und alle Teufel hörten interessiert zu —, „warum, bitte, willst du eigentlich wie eine Erdenfrau aussehen?"

Die Frau Teufel nahm einen Schluck vom Höllenbräuhumpen, wischte den Schaum vom Mund und erklärte: „Weil ich auf die Erde gehen und Arbeit suchen will!"

„Du?" Der Teufel erstarrte.

„Du?" Die Großmutter kicherte.

Alle übrigen Teufel und Furien grinsten.

„Da gibt's nichts zu lachen", schrie die Frau Teufel, „und ich fahre jetzt gleich. So wie ich bin!"

Sie warf das Ziegenbein in die Diabolosauce, die Diabolosauce spritzte über den Tisch. Sogar die Brille der Großmutter war voll Saucespritzer. Darum konnte die Großmutter für ein paar Augenblicke schlecht sehen. Sie merkte nicht, daß die Frau Teufel den großmütterlichen Hexenbesen schnappte und damit zum Erdenlift rannte.

„Du kannst doch nicht ohne Verkleidung —", rief der Teufel entsetzt.

Die Frau Teufel drückte aber bereits auf das rote Knöpfchen mit der Aufschrift: RUFEN. „Wird ohnehin Zeit, daß die oben wieder einmal einen echten, anständigen Teufel sehen", sagte sie.

Der Erdenlift rasselte herunter. Die Großmutter hatte die Brille blankgeputzt. „Gib mir sofort den Besen zurück! Das ist mein Besen! Her damit!"

Die Frau Teufel kümmerte sich nicht um das Geschrei der Großmutter, stieg in den Lift, und gleich darauf kreischte und quietschte der Lift hinauf.

„Das wird ihr nie verziehen", sagte die Großmutter. „Der Besen ist mein einzig wirkliches Teufelstum, das hätte sie mir nicht nehmen dürfen!"

Höllerl, der Cousin von Luzifer, rief besorgt, daß oben ein atlantisches Tief herrsche und daß sich die Höllenfürstin verkühlen werde.

„Recht geschieht ihr!" rief die Großmutter.

Luzi, der Lieblingssohn der Frau Teufel, begann zu schluchzen: „Die arme Mama, ganz allein geht sie auf die böse Welt hinauf! Ganz allein kriegt sie einen Schnupfen! Ganz allein sucht sie Arbeit! Nur weil der Papa so faul ist!"

„Na warte!“ Luzifer sprang vom Sessel auf. Luzi sprang auch vom Sessel auf und rannte zur Speisesaaltür. Luzifer hinter ihm her. Teufelskinder können viel schneller laufen als Teufelsväter, und Teufelsväter, die so dicke Bäuche wie Luzifer haben und dazu noch einen Hinkefuß, die können so einen flinken Buben wie Luzi nie im Leben einholen. Das sah der Teufel ein, nachdem er über den Rollwagen vom Höllenkoch gestolpert und mit dem Bauch in die Powidlschüssel gefallen war. Er wischte mit einer Serviette den Powidl aus den Bauchhaaren und seufzte.

„Nimm dir noch ein Mirabellenkompott“, riet die Großmutter. „Mirabellen sind das Beste gegen die Wut!“

Luzifer aß vier Schüsseln Mirabellenkompott, weil seine Wut so groß war, dann ging er ins Bett. Es war Mittagschlafzeit.

Gegen Abend — die Teufel versammelten sich gerade zum kalten Nachtmahl — rasselte die Frau Teufel mit dem Erdenlift in den Speisesaal hinunter.

„Guten Abend, allerseits“, rief sie, und ihr Gesicht strahlte himbeerrot. Sie schnupperte am Rollwagen vom Höllenkoch.

„Wildschweinschwarte mit Chilikompott!“ Der Koch verneigte sich. „Und nachher Brennesselstrudel!“ Brennesselstrudel war die Lieblingsspeise der Frau Teufel.

„Wo ist mein Besen?“ kreischte die Großmutter.

Die Frau Teufel nahm einen ganzen Brennesselstrudel vom Rollwagen und biß hinein.

Sie ließ sich neben Luzifer auf einen Stuhl plumpsen, und während sie kaute und schluckte und schmatzte, sagte sie: „Arbeit gibt's oben wirklich nicht mehr viel! Die sind alle schon sehr selbständig geworden!"

„Du sagst es, du sagst es!" Der Teufel nickte zufrieden.

„Aber!" Fulminaria griff nach einem zweiten ganzen Brennesselstrudel, „wer suchet, der findet! Und ich habe ein Ehepaar gefunden, an dem läßt sich gute Arbeit vollbringen. Sie lieben sich, sie sind glücklich und gut. Sie tun nichts Böses! Sie denken nichts Böses! Die kann man noch ordentlich schlecht machen!"

Aufgeregt rief Luzifer: „Wer?"

Aufgeregt rief Cousin Höllerl: „Wo?"

„Wie heißen sie?" fragte die Großmutter.

Die Frau Teufel holte einen Zettel aus ihrer Bauchtasche. (Teufel haben angewachsene Bauchtaschen, wie Känguruhs. Nur tragen sie in den Bauchtaschen keine Jungteufel, sondern Geldbörsen und Haarklammern und Kämme und Taschentücher und Lottoscheine. Sie haben ja keine Kleider und somit auch keine Kleidertaschen.)

Auf den Zettel hatte sie geschrieben:

MARGARETE UND HEINRICH BRUNNER/BOINSTINGL STENGLWEG

Die Frau Teufel hielt ihrem Mann den Zettel unter die Nase. Luzifer nahm den Zettel und hielt ihn so weit von den Augen weg, wie sein Arm reichte. Er war nämlich sehr weitsichtig.

Cousin Höllerl beugte sich zum Zettel. „Steht da nicht Brunner?"

Luzifer nickte.

„Margarete und Heinrich vielleicht?" fragte die Großmutter.

Und der Bruder von Cousin Höllerl, meistens Höllerl zwo genannt, fragte: „Die, die in Boinstingl wohnen?"

„Die kennt ihr?" Fulminaria war verwirrt.

„Bestes, abgrundgutes Weib", kicherte Luzifer, „die Mühe hättest du dir sparen können. Mit den beiden ist nichts zu machen. Die sind glücklich und die bleiben glücklich. Die sind gut und die bleiben gut!"

Höllerl und Höllerl zwo nickten zustimmend.

„Jeder Mensch ist schlecht und unglücklich zu machen", schnaubte die Frau Teufel wütend.

Höllerl, Höllerl zwo und Luzifer riefen im Chor: „An den Brunners beißt sich jeder Teufel den letzten Zahn aus!"

„Möchtest du wetten?" fragte die Frau Teufel.

„Die Wette gilt!" Luzifer schlug mit der Faust auf den Tisch, daß das letzte Stück Brennesselstrudel von Fulminarias Teller hüpfte.

Höllerl zwo brüllte nach dem Kammerteufel von Luzifer, und der Kammerteufel brachte das große Wettbuch. In der Hölle wurde nämlich so oft gewettet, daß sie dafür ein eigenes Buch hatten. Das Wettbuch war sehr groß und dick und schmutzig.

Die erste Wette auf der ersten Seite war eine Wette zwischen der Großmutter und ihrem Mann, der jetzt schon längst im Altersheim lebte. In dieser Wette hatte die Großmutter gewettet, daß sie in vielen Jahren einmal einen Enkel mit drei goldenen Haaren bekommen werde. (Und damit hatte sie ja recht behalten.)

Höllerl zwo brachte aus der Speisesaalkredenz eine Flasche Bluttinte und einen Federkiel. (Die Bluttinte war nicht, wie sich das die gewöhnlichen Teufelsschüler zumunkelten, aus Menschenblut gemacht, sondern aus südafrikanischen Orangen.) Höllerl zwo wollte der Frau Teufel den Federkiel in die Hand drücken, doch die Frau Teufel sagte, sie habe was Besseres, griff in ihre Bauchtasche und zog einen roten Kugelschreiber heraus.

Als die Teufel den roten Kugelschreiber sahen, wurden sie furchtbar aufgeregt. Sie brüllten, einen solchen Stift wollten sie schon längst, und kreischten, die „liebe Höllenfürstin“ möge ihnen den Stift doch schenken.

Die Frau Teufel schüttelte empört den Kopf und die Hörner.

„Woher hast du dieses Schreibgerät?“ erkundigte sich der Teufel neidisch.

Die Frau Teufel erklärte, sie habe den Kugelschreiber auf der Erde gefunden, und die Großmutter empörte sich darüber, daß die Leute dort oben so kostbare Dinge einfach wegwerfen. Dann fragte die Großmutter: „Sag einmal, wie du so über die Erde walltest, so in deiner ganzen Leibhaftigkeit? Sind da nicht Menschen vor dir geflohen? Haben sie um Gnade gewinselt?“

Die Frau Teufel kramte in der Bauchtasche nach der Brille. „Keine Spur“, murmelte sie, „die Leute haben gelacht, und ein paar von ihnen wollten wissen, wofür ich Reklame mache!“

Die Frau Teufel fand die Brille, spuckte auf die Gläser, polierte sie mit der Schwanzquaste trocken, setzte sie auf die Nase und schrieb mit großen Buchstaben ins Wettbuch:

ICH, FULMINARIA TEUFEL, EHEFRAU DES LUZIFER UND DADURCH HÖLLENFÜRSTIN, WERDE IN DEN NÄCHSTEN ZWEI JAHREN DAS EHEPAAR BRUNNER, WOHNHAFT ZU BOINSTINGL AM STENGLWEG, SCHLECHT UND UNGLÜCKLICH MACHEN.

WENN MIR DAS GELINGT, SO BEKOMME ICH VON LUZIFER EINE ROTE TEUFELSKUTSCHE MIT SECHS SCHWARZEN ZIEGENBÖCKEN UND ZUSÄTZLICH TÄGLICH AUF EWIG EINE FLASCHE VOGELBEERSCHNAPS!

WENN ES MIR NICHT GELINGT, MUSS ICH MEINEM MANN AUF EWIG DIE HAARE KRAULEN UND EIN SCHLUMMERLIED SINGEN. DAS WILL ICH TUN, SO WAHR MIR DER EWIGE URSATANAS HELFE, UND DAS BESCHWÖRE ICH MIT DREIMAL ÜBERKREUZTEN BEINEN!

FULMINARIA

TEUFELSWEIB UND HÖLLENFÜRSTIN

Höllerl zwo und die Großmutter unterschrieben als Wettzeugen. Höllerl zwo unterschrieb mit: Kasimir Helau Höllerl (so war sein ganzer Name). Die Großmutter unterschrieb mit: +++ (Alle Leute, die nicht schreiben können, machen angeblich drei Kreuze statt einer Unterschrift.)

Der Kammerteufel von Luzifer trug das Wettbuch in die hinterste Hölle und legte es in Luzifers Bett. Zwischen Matratze und Betteinsatz zum Kopfende des Bettes. (Wenn man etwas zwischen Matratze und Betteinsatz zum Kopfteil eines Bettes legt, dann nehmen die Dinge einen guten Verlauf, weil die Gedanken des Schläfers durch das Kopfkissen hindurch auf das Ding unter der Matratze einwirken können. Sagt die Teufelsgroßmutter.)

„Die Wette hab ich schon gewonnen“, sagte die Frau Teufel.

„Die Wette hab ich schon gewonnen", sagte der Herr Teufel.

„Man wird sehen", sagte die Großmutter.

Der Großmutter war es ziemlich gleichgültig, wer die Wette gewinnen würde. Hauptsache, dachte sie, einer verliert, und über den kann ich dann lachen!

Am nächsten Morgen — Luzifer schnarchte noch unter der Bettdecke, und die Großmutter schnarchte noch vor dem Kaminfeuer — stand die Frau Teufel zeitig auf. Sie ging ins Badezimmer, gurgelte mit dem Mundwasser Marke „Schwefelhauch", wusch sich mit der Seife Marke „Stinkweichzart" die Zehen und sprühte einen Hauch „Uralt-Schweiß" auf den Schwanz. Mit einer rotglühenden Brennschere ringelte sie ihre Haarbüschel zu steifen Spiralen, und an die Ohrläppchen klemmte sie sich wunderschöne Gehänge aus versteinerten Kreuzspinnen.

Dann verließ sie auf Zehenspitzen das Badezimmer und die hinterste Hölle und marschierte in die Höhere Teufelsschule.

In der Höheren Teufelsschule hatte der Unterricht gerade begonnen. Die Schüler saßen artig hinter ihren Pulten und übten „Einflüsterungen". Der Herr Lehrer hockte mit geschlossenen Augen vorne beim Lehrertisch und hörte ganz genau hin, ob er etwas hörte. Wenn er gar nichts hörte, lächelte er zufrieden, wenn er leises Geflüster hörte, murmelte er: „Kinder, Kinder, ihr müßt mehr üben, wenn das so weitergeht, dann schafft ihr die Abschlußprüfung nie!" Flüsterten die Schüler aber so laut, daß der

Herr Lehrer ganze Wörter oder sogar Sätze verstehen konnte, dann sprang der Lehrer auf, schlug mit der Schwanzquaste auf den Tisch und schrie: „Ein Sauhaufen ist das! Da hört sich doch dieses und jenes auf! Habt ihr denn Stroh in den Ohren? Jeder von euch gehört zurück auf die Gewöhnliche Teufelsschule!“

Der Schuldirektor hockte in seiner Kanzlei vor dem Ofen und frühstückte.

Der Schulwart kehrte vor der Schultür den Teufelsdreck weg. Er war der erste, der die Frau Teufel heranmarschieren sah. Er ließ den Besen fallen und rannte in die Kanzlei: „Inspektion kommt, die höllische Fürstin naht!“

Der Schuldirektor schob sein Grammelschmalzbrot in die Schreibtischlade zu den Zeugnisformularen.

Das Teehäferl stellte er unter den Tisch. Er putzte die Brotbrösel aus seinen Bauchhaaren und fluchte: „Satanas und Schneiderzwirn, schon wieder eine Inspektion!“

Der Schulwart grinste und meinte: „Vielleicht hat die vorige Inspektion etwas nicht in Ordnung gefunden und das den höheren Stellen mitgeteilt!“

Der Schuldirektor zuckte nervös mit den Augenlidern. „Emmerich“, sagte er zum Schulwart, „Emmerich, saus in die Klasse hinüber und sag dem Herrn Lehrer, er soll das Große Höllenlied anstimmen!“

Der Emmerich, der Schulwart, lief, so schnell er konnte, und das war nicht sehr schnell, weil er ein Holzbein hatte, in die Klasse hinüber. (Der Emmerich war einmal viel zu nahe am Kaminfeuer eingeschlafen und da hatte sein Bein Feuer gefangen und war bis zur Hüfte abgebrannt.)

Der Herr Direktor hörte das Holzbein vom Emmerich über den Gang klopfen, dann hörte er das Schultor quietschen und jemanden in den ersten Stock heraufgaloppieren. Er nahm ein Schularbeitsheft von einem Heftstoß und schaute kummervoll hinein.

Genau in dem Augenblick, in dem die Kanzleitür aufging und die Frau Teufel hereintrampelte, begannen die Teufelsschüler das Große Höllenlied anzustimmen. Na, dachte der Schuldirektor, wenigstens *das* funktioniert!

„Tag, Schuldirektor", sagte die Frau Teufel.

Der Schuldirektor schaute vom Heft auf und tat, als sei er überrascht. Er sprang auf und machte einen Kratzfuß. „Wie ich mich doch freue“, sagte er.

Die Frau Teufel setzte sich auf den Besucherstuhl. „Direktor“, sagte sie, „mein Besuch muß geheim bleiben.“

Der Schuldirektor nickte.

„Ich brauche Ihren besten Schüler! Er muß für mich einen schwierigen Auftrag erledigen!“

Der Herr Direktor seufzte heimlich und erleichtert, weil er merkte, daß die Höllenfürstin nicht inspizieren wollte. Er holte aus der Schublade die Schülerbeschreibungsbogen und blätterte darin und meinte: „Da! Der da! Notendurchschnitt eins Komma null. Unser bester Schüler!“

Die Frau Teufel griff nach dem Schülerbeschreibungsbogen. Sie hatte die Brille zu Hause vergessen. Sie konnte die vielen guten Noten und die lobenden Worte nicht genau lesen, doch sie konnte das Paßbild vom Musterschüler, das in die linke Bogenecke geklebt war, sehen.

Der Musterschüler hatte riesige Ohren, riesige Hörner, eine lange spitze Nase und dicke Augenbrauen. Außerdem schielte er nach außen, und die Unterlippe hing ihm bis zum Kinn.

„Haben Sie keinen schöneren?“

Der Schuldirektor zuckte zusammen. Der Musterschüler war sein Sohn. So etwas tut weh!

„Die Besten der Besten, verehrte Höllenfürstin, sind nicht immer die Hübschesten. Außerdem, wenn ich mir die Bemerkung erlauben darf“, er betrachtete liebevoll das Bild des Musterschülers, „finde ich den Knaben nicht unhübsch!"

Die Frau Teufel meinte, der Knabe sei vielleicht tatsächlich nicht unhübsch, an höllischen Schönheitsidealen gemessen, aber er solle ja zur Erde, und für irdische Begriffe sei er leider stinkhäßlich.

„Aber bitte, Notendurchschnitt eins Komma null", gab der Schuldirektor zu bedenken.

Die Frau Teufel erinnerte sich plötzlich an ihren eigenen Notendurchschnitt (vier Komma neun). Sie gab dem Schuldirektor den Schülerbeschreibungsbogen zurück. Sie sagte: „Ich pfeif' auf Ihren Notendurchschnitt! Wir gehen jetzt in die Klasse, und ich such mir einen aus!"

Der Herr Schuldirektor wagte nicht zu widersprechen und führte die Frau Teufel zum Höheren-Höllenschul-Klassenzimmer. Die Teufelsschüler waren gerade bei der letzten Strophe vom Großen Höllenlied. Sie sangen dauernd la-al-la-al-la-la, weil sie den Text vergessen hatten. (Sogar der Musterschüler.)

Der Herr Direktor ließ die Schüler in einer Reihe antreten, die Frau Teufel schritt die Reihe ab. Sie sah Teufel mit großen und Teufel mit kleinen Ohren, Teufel mit Schwanzquasten so groß wie Fußbälle, Teufel mit Riesenbäuchen und geringelten Haaren darauf und Teufel mit burgunderroten Gesichtern und Teufel mit violetten Gesichtern. Und sie sah, ziemlich in der Mitte, einen Kerl, der gefiel ihr ungemein. Er hatte schwarze, seidig-glänzende Ringellocken und violette Augen mit langen Wimpern und eine kleine Stupsnase. Am besten gefielen der Frau Teufel aber seine winzigen, schwarzen Hörner. Die waren so klein, daß man sie zwischen den Ringellocken kaum ausnehmen konnte.

„Wie heißt du, mein Kleiner?" fragte sie.

„Belze", sagte der Kleine.

„Komm her, du bist richtig!"

„Aber bitte, aber bitte schön . . .", stotterten der Herr Lehrer und der Herr Schuldirektor im Kanon, „aber bitte . . ."

„Nichts aber!" sagte die Frau Teufel, „ich spür es in dem linken Hühnerauge auf dem rechten Fuß! Er ist der Richtige. Mein linkes Hühnerauge auf dem rechten Fuß hat mich noch nie betrogen!"

„Aber . . .", versuchte der Herr Lehrer noch einmal.

Die Frau Teufel nahm den Belze an der Hand, nickte den anderen Schülern und dem Lehrer und dem Herrn Direktor zu und zog den Belze zum Ausgang.

Der Herr Lehrer und der Herr Direktor buckelten hinter der Frau Teufel bis zum Schultor. Als die Frau Teufel und der Belze bereits außer Hörweite waren, stöhnte der Herr Lehrer: „Der Belze ist unser schlechtester Schüler. Der hat überhaupt nur geschlafen, seit er bei uns ist!"

„Ich weiß, ich weiß", seufzte der Herr Schuldirektor und ging in seine Kanzlei. Er holte das Teehäferl unter dem Tisch hervor und stellte es auf den Ofen zum Wärmen. Das Grammelschmalzbrot war nicht mehr in der Zeugnislade. Der Emmerich, der

Schulwart, hatte es inzwischen aufgegessen. Da wurde der Schuldirektor noch viel trauriger.

Belze trabte mit der Frau Teufel zur hintersten Hölle. „Beeil dich, Süßer“, sagte die Frau Teufel, „ich möchte meine Wette bald gewinnen.“

„Welche Wette, bitte?“

Die Frau Teufel erklärte dem Belze die ganze Angelegenheit. Zum Schluß — da waren sie bereits in der hintersten Hölle — rief sie: „Du wirst also auf die Erde fahren und die zwei Brunners verführen. Und wenn du Schwierigkeiten haben solltest, dann komm zurück und erstatte mir Bericht!“

„Werde ich jetzt in einen Menschen verwandelt?“ fragte Belze. Doch die Frau Teufel fand, das sei unnötig, weil Belze fast wie ein Mensch aussah. Bloß die Haare am Körper, die müsse man abrasieren, meinte sie, und die winzigen Hörner müsse man unter den Ringellocken verstecken.

„Und der Schwefelduft muß auch weg!“ sagte sie.

Sie setzte Belze in die Badewanne und schrubbte ihn. Dann rasierte sie ihm mit dem Rasiermesser der Großmutter alle Haare ab. Die Kopfhaare natürlich nicht. Und unter den Achseln und zwischen den Beinen ließ sie auch ein paar Haare übrig.

Die Teufelsbedienerin, die gerade den Fußboden einwachste, lachte sich noch schiefer, als sie schon war. „Pfui Teufel“, kicherte sie, „so ein Bauch ohne Haare, das ist doch etwas Scheußliches!“

„Halt den Mund“, fauchte die Frau Teufel. Sie half dem Belze beim Menschenkleider-Anziehen und wußte nicht so recht, wo bei den Kleidungsstücken vorne und hinten und außen und innen war.

„Geh Belze", keppelte sie, „stell dich nicht so an. Das wirst du doch gelernt haben! *Du* mußt doch wissen, wie das Zeug gehört!"

Belze versicherte, daß er das natürlich wisse, aber ganz sicher wisse er das. Nur heute, da sei er ein bisserl durcheinander, wegen der großen Ehre, die ihm da zuteil werde.

Die Frau Höllenfürstin sah das ein.

Sie holte den Bibliothekar. Er war ja sehr oft auf der Erde. Der Bibliothekar kam und steckte den Belze in den Erdenanzug und band ihm einen schönen dicken Krawattenknopf und die Schuhbänder.

„Auweh", schrie Belze, als ihm der Bibliothekar die Bänder der Schuhe band. „Das drückt doch!"

„Menschenschuhe drücken halt", sagte der Bibliothekar, und dann sagte er: „Das mußt du doch schon gewohnt sein, auf den Erdenwandertagen habt ihr doch auch Schuhe an!"

Belze war es aber nicht gewohnt. Er hatte auf die Erdenwandertage nie mitgehen dürfen. Als Strafe für die schlechten Lernerfolge. Doch davon wollte er jetzt lieber nicht reden. Ihm fiel ein, daß seine Schulkameraden, wenn sie vom Erdenwandertag zurückgekommen waren, immer über die bleichen Gesichter der Menschen gelacht hatten: „Bin ich nicht zu rot im Gesicht?" fragte er.

„Süßer", sagte die Frau Teufel, „wenn du einen Tag auf der Erde sein wirst, dann wirst du ganz von selber bleich sein wie ein altes Leintuch!"

Zur Jausenzeit verließ Belze die Hölle. Seine Hörner waren von einer hübschen Lockenfrisur verdeckt, in einer Hand hielt er einen roten Lackkoffer, in der anderen Hand hielt er einen Hut. Im Lackkoffer war ein Lügennetz, und eine Tarnkappe war drin und eine Flasche Verwandlungstrank, Marke „Katzenschwanz". Wenn man ein Schlückchen davon trank, wurde man eine schwarze Katze. Trank man noch ein Schlückchen, wurde man wieder ein Teufel.

Außerdem waren im Koffer noch die gesamten Ersparnise der Frau Teufel. (1 Million Höllendollar, das sind umgerechnet 12 834 Schilling oder 1782,50 DM oder 2139 Schweizer Franken. Die Frau Teufel hatte das Geld auf der Höllensparkasse umwechseln lassen.)

Belze sauste im quietschenden Lift der Erde entgegen. Er hatte ein schlechtes Gewissen, weil er der Frau Teufel verschwiegen hatte, daß er noch nie auf der Erde gewesen war, und weil er verschwiegen hatte, daß er nicht wußte, wie man Menschen schlecht und unglücklich macht. Vor allem aber hatte er nicht gesagt, daß er gar nicht wußte, wie ein schlechter und unglücklicher Mensch eigentlich sein sollte.

„Was ist das bloß? Schlecht? Unglücklich?"

Am liebsten hätte Belze geweint, doch weinen ist für Teufel streng verboten; das hatte sogar Belze in der Schule mitgekriegt. Er wischte sich eine einzige Träne aus dem rechten Auge, schluckte tapfer vier Tränen hinunter und sprach zu sich:

„Na, zuerst jedenfalls fahre ich mit dem Zug nach Boinstingl, und dort gehe ich zum Notar Bunsenbichler. Der wird mir das leerstehende Haus neben den Brunnerischen vermieten!“

Der Erdenlift hörte zu quietschen auf und stand still. Belze öffnete die Lifttür. Vor der Tür regnete es, und ein eisiger Wind blies in den Lift hinein. Belze zitterte vor Kälte. Er trat aus dem Lift und stand auf einem breiten Gehsteig neben einer breiten Straße. Der Lift — von außen — war eine dicke Säule, auf die bunte Plakate geklebt waren. Belze stand auf dem Gehweg. Menschen kamen ihm entgegen, stießen ihn, drängten ihn, schoben ihn weiter, schubsten ihn fast auf die Straße. Die Menschen schoben Belze den Gehweg hinunter, bis zur Straßenecke. Dort stieß Belze mit einem jungen Fräulein zusammen.

„Pardon“, sagte Belze.

„Sauwetter“, sagte das Fräulein.

„Bitte, mein Fräulein, wo ist hier denn der Bahnhof?“

„Der Ostbahnhof oder der Westbahnhof oder der Nordbahnhof oder der Südbahnhof?“ wollte das Fräulein wissen.

„Der Boingstinglbahnhof.“

„In Boinstingl“, sagte das Fräulein, „da hab ich eine Tante. Boinstingl, das kenn ich. Da müssen Sie mit der Westbahn fahren!“

Das Fräulein zeigte quer über die Straßenkreuzung und erklärte dem Belze, er müsse zuerst die gegenüberliegende Straße entlanggehen und dann

zweimal rechts und einmal links um die Ecke biegen und dann durch einen Park und dann weiter geradeaus und dann . . .

„Das finde ich nie, das ist furchtbar“, sagte Belze.

Er schaute das Fräulein mit seinen violetten Augen traurig an, seine seidigen Wimpern flatterten hilflos.

„Na, dann kommen Sie, ich bring Sie hin!“ Das Fräulein holte einen Schlüsselbund aus der Tasche. „Dort drüben steht mein Wagen!“ Das Fräulein zeigte auf ein gelbes Auto.

Belze wollte über die Straße laufen.

„Halt! Doch nicht bei Rot!“ Das Fräulein hielt Belze am Ärmel fest.

„Darf man da nicht?“

Das Fräulein lachte. „Sie sind ein Komischer", sagte sie.

Dann zog sie den Belze über die Straße, weil die Ampel auf Grün geschaltet hatte.

Das Fräulein sperrte die Wagentür auf, Belze stieg ein, das Fräulein lief um den Wagen herum und stieg auch ein. „Soll ich einheizen?" fragte das Fräulein.

„Haben Sie denn einen Ofen hier drinnen?"

Das Fräulein lachte und steckte einen Schlüssel vom Schlüsselbund in ein kleines Schlüsselloch hinter dem Lenkrad.

„Ist das die Ofentür?"

„Sie sind doch der komischste Vogel, der mir je untergekommen ist", kicherte das Fräulein.

Das Auto krachte ein bißchen, kreischte ein bißchen und fuhr los. Belze erschrak. Mit einer Hand hielt er sich am Türgriff fest, mit der anderen am Bein vom Fräulein.

„He, lassen Sie das, ich kann ja nicht Gas geben", rief das Fräulein.

Belze ließ das Fräulein-Bein los, aber er hatte schreckliche Angst. Er war ja noch nie in einem Auto gesessen.

Belze hockte stumm da, Regentropfen platschten auf die Windschutzscheibe. Es tat ihm jetzt furchtbar leid, daß er in der Schule nie gut aufgepaßt hatte, und endlich verstand er den Spruch, der in der Kanzlei hing und der hieß: NICHT FÜR DIE SCHULE, SONDERN FÜR DAS LEBEN LERNEN WIR!

„Wir sind beim Bahnhof", sagte das Fräulein. Belze griff nach dem roten Koffer und machte die Autotür auf. Er streckte die Beine auf die Straße und zog sie gleich wieder zurück, weil die Beine tropfnaß und kalt geworden waren.

„Mann, ich hab noch etwas anderes zu tun", sagte das Fräulein.

„Pardon", sagte Belze. Er sprang aus dem Auto und lief durch den strömenden Regen zur Bahnhofshalle. In der Halle lehnte er sich an die Wand, holte das Taschentuch aus der Hosentasche und wischte sich eine Menge Wasser aus dem Gesicht. Regenwasser und Tränen. Ihm war hundeelend zumute, er schluchzte, die Tränen rannen ihm über den Hals, bis in den Hemdkragen hinein.

Ein alter Mann blieb bei Belze stehen und fragte: „Kann ich Ihnen helfen?"

„Ich erfriere!" schluchzte Belze.

„Stockbetrunken!" sagte der alte Mann ärgerlich und ging weiter.

Belze stand über eine Stunde an die Wand gelehnt und zitterte und weinte. Nach einer Stunde fühlte er sich etwas besser. Sein Anzug und die Haare waren wieder trocken. Nur mehr der Hemdkragen war feucht.

Belze kaufte sich eine Karte nach Boinstingl und ging zu Gleis sieben.

Belze hatte eine Fahrkarte zweiter Klasse gekauft, weil der Schalterbeamte gesagt hatte, die Fahrkarten zweiter Klasse seien die billigeren. Nun ging Belze den Zug entlang und schaute nach den billigen Waggons aus, aber die Waggons sahen alle gleich aus. Darum dachte er: Die billigen Fahrkarten, die werden eine Sondervergünstigung sein, so wie in der Hölle zwei Wochen vor dem Geburtstag vom Chef. Da bekommen die Altersheimteufel die Erdnußbutter ja auch zum halben Preis!

Belze stieg in den ersten Waggon hinter der Lokomotive und setzte sich in ein Abteil erster Klasse. Das Abteil war leer. Unter dem Fenster, an der Waggonwand, entdeckte er einen Hebel. Links vom Hebel stand HEISS, rechts vom Hebel stand KALT. Der Hebel war viel näher bei rechts als bei links. Belze zog den Hebel nach links. Aus vielen kleinen Schlitzen in der Waggonwand strömte heiße Luft. Belze rückte ganz nahe an die Schlitze, schloß die Augen und lächelte. Fast wie zu Hause, dachte er. Da sagte plötzlich eine Stimme: „Ihre Fahrkarte bitte!" und eine Menge kalter Luft kam ins Abteil. Belze machte die Augen auf. Der Schaffner lehnte in der offenen Abteiltür und hielt ihm die Hand hin.

Belze griff nach der Hand und schüttelte sie. (Die Großmutter hatte ihm einmal erzählt, daß sich die Menschen zur Begrüßung die Hand geben.)

„Was soll das!" rief der Schaffner und schaute wild, doch weil er mitten in Belzes violette Augen schaute, konnte er nicht lange wild sein. Er sagte: „Na ja, ist ja eigentlich normal, daß man einander die Hand gibt. Aber wissen Sie, wenn ich jedem Menschen im Zug die Hand schüttle, dann krieg ich einen Muskelkater!"

Belze ließ die Schaffnerhand los und holte seine Fahrkarte aus der Jackentasche.

„Das ist eine Karte zweiter Klasse", sagte der Schaffner.

Belze nickte.

„Sie sitzen aber in der ersten Klasse!"

„Ich habe den Unterschied nicht erkannt", sagte Belze.

„In der ersten sind die Sitze aus Samt. In der zweiten sind die Sitze aus Plastik", erklärte der Schaffner.

„Sitzt man auf Plastik besser oder auf Samt?"

Der Schaffner starrte Belze ziemlich lange in die violetten Augen, dann seufzte er und sprach milde: „Auf Plastik bleibt man, wenn es warm ist, mit dem

Hintern kleben, aber deswegen müssen Sie heute keine Angst haben, die Heizung funktioniert in der zweiten Klasse nicht."

„Dann bleibe ich hier!" rief Belze.

Der Schaffner erklärte, dann müsse Belze nachzahlen. Er holte ein kleines Büchlein aus der Umhängetasche und blätterte darin, dann rechnete er, dann blätterte er wieder, und dann sagte er, es sei sehr kompliziert, den Mehrpreis zu errechnen, und dann schaute er aus dem Fenster und dann in Belzes violette Augen. Schließlich klappte er das Büchlein zu.

„Die nächste Station ist Boinstingl", sagte er, „tun wir so, als hätten wir uns nie gesehen, und steigen Sie aus."

Belze steckte die Karte in die Jackentasche zurück, griff nach dem roten Koffer, verneigte sich und sagte: „Danke, mein Herr, Sie waren sehr freundlich!"

Der Schaffner lächelte, legte eine Hand an die Schirmkappe und ging aus dem Abteil. Wie er schon an der nächsten Abteiltür war, drehte er sich um und sagte: „Pfadfinderlos! Jeden Tag eine gute Tat!"

Der Zug blieb stehen.

„Boinstingl — nur kurzer Aufenthalt — bitte rasch aus- und einsteigen!" rief eine Stimme am Bahnsteig.

Belze riß die Wagentür auf, stolperte die zwei Stufen zum Bahnsteig hinunter, stolperte über den Bahnsteig und ließ sich auf die Bank vor dem Wartesaal fallen. Ihm war schon wieder zum Weinen zumute. Er dachte: Ich bin total unfähig! Ein Teufel, an dem ein Zugschaffner eine gute Tat vollbringt! Hoffentlich erfährt das die Frau Chefin nie!

Als sich Belze auf die Bank gesetzt hatte, war neben der Bank ein alter Mann mit einer grünen Schürze und einer schwarzen Mütze gestanden. Als Belze nun um sich schaute, sah er noch vier alte Männer mit grünen Schürzen und schwarzen Mützen. Auf einer der schwarzen Mützen stand: WEISSER HIRSCH, auf einer: SCHWARZE KUH, auf einer: BLAUER OCHS, auf einer: ROTE GAMS. Und auf der Mütze vom alten Mann neben der Bank stand: GELBER ADLER. Belze merkte, daß ihn die fünf alten Männer anstarrten. Ganz gierig starrten sie ihn an. Belze bekam Angst. Große Angst. Er stand auf und schaute sich nach dem Ausgang um. Die fünf alten Männer kamen näher. Belze entdeckte die Tür, über der AUSGANG ZUM HAUPTPLATZ stand. Belze ging schnell auf die Tür zu. Die fünf alten Männer hurtig hinter ihm her. Belze lief durch die Ausgangstür auf den Hauptplatz. Die fünf alten Männer humpelten zwar, aber sie kamen genauso schnell voran wie Belze. Noch bevor Belze den Hauptplatz überquert hatte, hielten sie ihn an der Jacke und an den Hosenbeinen fest.

„Mit Dusche und Frühstück nur hundert", rief der WEISSE HIRSCH.

„Inklusive Ortstaxe", rief die SCHWARZE KUH.

„Dreißig Prozent Nachsaisonermäßigung", rief der BLAUE OCHS, und die ROTE GAMS rief:

„Alles mit Blick auf die Alpen!"

Der GELBE ADLER zog Belzes rechtes Ohr zu sich herunter und flüsterte hinein: „Und am Abend Barbetrieb mit Tanz!"

„Bitte, tun Sie mir nichts, bitte!" jammerte Belze. Er war verzweifelt. Der GELBE ADLER zog an seinem Ohr, die SCHWARZE KUH und der BLAUE OCHS zerrten an seiner Jacke, der WEISSE HIRSCH zog sein linkes Bein nach links, und die ROTE GAMS das rechte Bein nach rechts.

„Was geht hier vor?" Der Mann, der das fragte, war sehr groß und hatte einen weißen Mantel an. Die fünf alten Männer ließen Belze los. Belze meinte für einen Augenblick, der weiße Mann sei ein Engel.

Die ROTE GAMS rief: „Bitte, Herr Wachtmeister, der Herr will bei uns ein Zimmer mieten, und die da“, er zeigte auf die vier anderen, „die wollen ihn mir wegschnappen!“

Die vier anderen protestierten. „Gar nicht wahr“, schrien sie, „bei mir — bei mir — bei mir — bei mir will er sich einmieten!“

„Nötigen Sie den Herrn nicht“, rief der Engel, der ein Verkehrspolizist war, den alten Männern zu, und den Belze fragte er: „Wollen Sie ein Zimmer mieten?“

„Ich will zum Notar Bunsenbichler!“

„Drittes Haus links, hier entlang“, zeigte der Verkehrspolizist den Weg. Belze machte wieder eine artige Höllenverbeugung, dann lief er zum Haus vom Notar Bunsenbichler.

Die alten Männer schimpften hinter ihm her, daß es eine Gemeinheit sei, auf dem Bahnhof zu sitzen und so zu tun, als ob man ein Hotelzimmer brauche, um dadurch arme, alte Hoteldiener in die Irre zu führen.

Der Notar Bunsenbichler wohnte im ersten Stock. Er freute sich sehr, daß Belze das alte Haus mieten wollte. Noch mehr freute es ihn, daß Belze sofort mit dem Mietpreis einverstanden war, obwohl der Mietpreis unverschämt hoch war.

Belze holte zehn blaue Scheine aus dem roten Koffer. Das war die Miete für ein Vierteljahr. Er bekam eine Quittung und einen Schlüsselbund mit zwei Schlüsseln.

„Der große ist für die Vordertür, der kleine für die Hintertür“, sprach der Notar und verschwieg, daß man weder die eine noch die andere Tür versperren konnte, weil die Schlösser verrostet waren.

Als der Notar dem Belze zum Abschied die Hand schüttelte, schaute er ihm in die Augen — und da sagte er plötzlich: „Also, der Mietpreis ist ja ziemlich hoch. Ich werde dafür allerhand reparieren lassen."

Belze bedankte sich artig und ging aus dem Haus hinaus zu seinem Haus. Sein Haus war gleich neben dem Haus vom Notar Bunsenbichler.

Der Notar schaute hinter Belze her, und weil er jetzt nicht mehr in seine Augen schaute, ärgerte er sich furchtbar über sein Versprechen und nahm sich vor, bloß einen neuen Fußabstreifer herauszurücken.

Die Haustür von Belzes Haus war nicht versperrt, aber sie klemmte. Die Türklinke hing schief, und als Belze ein bißchen rüttelte, brach sie ab. Belze warf sich mit seiner ganzen Kraft gegen die Tür. Die Tür knarrte. Belze ging fünf Schritte von der Tür weg und lief gegen die Tür. Die Tür krachte. Belze wollte sehr dringend ins Haus hinein, weil es wieder zu regnen angefangen hatte. Als Belze sieben Schritte Anlauf nahm, den Kopf weit vorstreckte, gegen die Tür rannte und seine kleinen Hörner in die Türfüllung stieß, gab die Tür nach. Sie schwang nach innen auf, und Belze, dessen Hörner in der Tür feststeckten, schwang mit. Als die Haustür endlich stillstand, zog Belze seine Hörner aus der Türfüllung. Das tat weh, denn Hörner sind empfindlich. Hornweh ist schlimmer als Kopfweh. Hornweh ist so arg wie arges Zahnweh. Belzes Hörner waren doppelt so groß wie sonst, weil sie geschwollen waren. Sie schauten zwischen den Ringellocken hervor. Belze griff vorsichtig nach den Hörnern und schrie laut auf. Doch Teufel — wenn es nicht gerade um Kälte geht — sind tapfer. Belze stülpte seinen Hut über die geschwollenen Hörner, damit sie niemand sehen konnte, vergaß die Schmerzen und schaute sich um.

Er sah überall Spinnen. Große, fette Spinnen in riesigen Spinnennetzen. Spinnen wohnen gerne in leerstehenden Häusern. Da haben sie Ruhe. Niemand jagt mit dem Besen hinter ihnen her. Belze sagte:

„Guten Tag, liebe Spinnen, wo ist hier die Küche?"

Die Spinnen gaben keine Antwort.

„Freundinnen" brüllte Belze, weil er dachte, die Spinnen seien alt und schwerhörig, „Freundinnen, zeigt mir das Haus, ich bin neu hier!"

Die Spinnen gaben wieder keine Antwort, denn es waren gewöhnliche Erdenspinnen und keine Höllenspinnen, die wie Katzen schnurren und Geschichten erzählen und Schlummerlieder singen können.

Belze schaute sich allein im Haus um. Das Haus hatte einen Vorraum, eine Küche und zwei Zimmer. In der Küche stand ein alter Herd, im Vorraum hing ein Spiegel, in einem Zimmer war ein Bett ohne Matratze, im anderen Zimmer waren ein Stuhl mit drei Beinen und ein Haufen alter Zeitungen. Die meisten Fensterscheiben waren zerschlagen, von den Decken baumelten Lampenfassungen ohne Glühbirnen. In einer Ecke fand Belze das vierte Stuhlbein. Er nahm eine Zeitung, stopfte sie in den Herd, legte das Stuhlbein über das Papier und wollte Feuer machen. Das Feuer brannte nicht. Dicker Rauch quoll aus der Ofentür und aus der Herdplatte und aus dem Ofenrohr. Bald war die ganze Küche voll Rauch. Belze blies beim Ofentürl hinein, stocherte im Papier herum und rüttelte am Rost, doch der Rauch wurde immer mehr.

Plötzlich hörte er jemanden husten. Er fuhr erschrocken herum. Da stand eine junge, hübsche Frau in der Küchentür, rieb sich die Augen, hustete weiter und sagte dann: „Der Ofen kann gar nicht brennen, weil der Rauchfang kaputt ist!“

Und dann sagte die junge, hübsche Frau, daß sie die Nachbarin, die Frau Brunner sei, und daß sie und ihr Mann sich freuen würden, wenn der Nachbar auf einen Kaffee zu ihnen käme.

„Von Herzen gern“, rief Belze, wischte sich die Rußfinger an der Hose ab — was nichts ausmachte, denn die Hose war schwarz — und ging mit der Frau Brunner.

Das Haus der Brunners stand hinter Belzes Haus. Die Frau Brunner führte Belze bei der Hintertür hinaus. Vor der Hintertür war ein kleiner Garten mit Unkraut. Dann kam ein alter Zaun, der so niedrig war, daß man leicht darübersteigen konnte, dann kam ein kleiner Garten voll Astern und Efeu, und dann kam die Hintertür vom Brunnerhaus.

Hinter der Hintertür war die Küche der Frau Brunner. Die Frau Brunner sagte: „Ich denke, wir trinken den Kaffee in der Küche, da ist es warm!“

Die Frau Brunner erklärte dem Belze, sie müsse immer furchtbar viel einheizen, denn ihr Mann habe einen sehr niederen Blutdruck und friere leicht.

„Das ist ja herrlich“, rief Belze.

„Ein niederer Blutdruck ist nicht herrlich“, sagte der Herr Brunner. Er kam aus dem Wohnzimmer und schüttelte Belze die Hand.

„So mein' ich es nicht“, stotterte Belze, „ich meine, ich habe auch so einen Druck im Blut, der es warm braucht . . .“ Belze wußte nicht weiter, doch das war auch gar nicht nötig, denn der Herr Brunner unterbrach ihn und freute sich enorm über den Nachbarn mit dem niederen Blutdruck. Bis die Frau

Brunner den Tisch gedeckt und den Kaffee gekocht und die Kipferln mit Butter und Marmelade bestrichen hatte, erzählte der Herr Brunner dem Belze vom niederen Blutdruck. Belze fühlte sich wohl. Der Kaffee schmeckte besser als zu Hause, und von den Marmeladekipferln aß er sieben Stück. (Belze hatte bisher noch nie Süßes gegessen. In der Hölle bekommt nur die Großmutter jede Woche einmal Pudding. Der Höllenkoch verwahrt das Puddingpulver in einem versperrten Kasten, und Puddingpulverstehlen wird mit vier Wochen Besenbinden bestraft.)

Beim Kaffeetrinken erfuhr Belze eine Menge von den Brunners. Er erfuhr, daß der Herr Brunner als Unterbuchhalter in einer Fabrik angestellt war, obwohl er die Arbeit des Oberbuchhalters machte, und daß die Frau Brunner jeden Tag zur alten Höllriegel in die Bedienung ging, damit sie die Raten für das Haus abzahlen konnten. Er erfuhr auch, daß das Haus der Höllriegel weit weg war und die Frau Brunner mit dem Fahrrad dorthin fahren mußte.

Nach ungefähr drei Stunden Kaffeetrinken sagte Belze: „Ich glaube, ich habe nun lange genug gestört."

„Wir hätten Sie gern zum Nachtmahl eingeladen", sagte die Frau Brunner, „aber wir bekommen heute Besuch!"

Belze verabschiedete sich und ging durch den Asterngarten und den Unkrautgarten zu seiner Hintertür. Die Brunners schauten ihm nach.

„Ein lieber Mensch", sagte der Herr Brunner.

„Mit schönen Augen“, sagte die Frau Brunner.

„Warum er bloß die ganze Zeit den Hut aufbehalten hat?“ wunderte sich der Herr Brunner.

Die Frau Brunner meinte: „Vielleicht hat er eine Glatze und will sie nicht herzeigen.“

Belze betrat sein kaltes, finsteres, leeres Haus. Der Rauch war längst durch die zerbrochenen Fenster abgezogen. Belze nahm den Hut vom Kopf und griff nach den Hörnern. Sie taten fast nicht mehr weh und waren so klein wie immer. Belze stellte sich zum Küchenfenster. Drüben, bei den Brunners, waren die Fenster hell erleuchtet. Belze stellte sich vor, wie warm und freundlich es da drüben war. Er bekam ungeheure Sehnsucht nach dem Wohnzimmer der Brunners. Zuerst dachte er daran, die Tarnkappe aufzusetzen und unsichtbar zu den Brunners zu gehen. Doch Tarnkappen sind sehr unangenehm. Sie zwicken auf dem Kopf, und die ganze Zeit, während man unsichtbar ist, hat man eingeschlafene Füße und kribbelige Finger. Außerdem war die Tarnkappe schon sehr alt. Manchmal hielt sie nicht dicht. Nach längerem Tragen konnte es passieren, daß ein Finger oder ein Stück Fuß sichtbar wurde.

Belze fiel der Verwandlungstrank ein. Er tappte im Dunkeln zu seinem Koffer und holte die Flasche mit der Aufschrift MARKE KATZENSCHWANZ heraus. Belze ging vorsichtig ans Werk. Er war nämlich nicht so dumm, wie der Schuldirektor und der Lehrer immer behauptet hatten. Wenn Belze aufpaßte und über etwas nachdachte, kam er fast immer zum richtigen Ergebnis. Bisher — in der Schule — hatte er nur nie aufgepaßt und nie nachgedacht. Er war — sozusagen — klug, aber ungebildet.

Belze machte es also klug. Belze schraubte die Verschlußkappe vom Katzenschwanztrank. Er füllte die Verschlußkappe mit Zaubertrank und stellte sie auf das Fensterbrett. Dann holte er einen Korkstoppel aus der Jackentasche und stoppelte die Flasche zu. Über die Verschlußkappe legte Belze eine Glasscherbe, die er auf dem Boden gefunden hatte. (Das mußte er tun, weil alle Zaubertränke mit Äther und Spiritus angerührt sind und das Zeug leicht verdunstet. Und das Schlückchen Zaubertrank in der Verschlußkappe mußte er bereitstellen, weil ein Kater keinen Schraubverschluß aufmachen kann.)

Und dann stoppelte Belze die Flasche auf, trank ein Schlückchen und stoppelte rasch wieder zu.

Während Belze trank, spürte er ein starkes Ziehen in Armen und Beinen, merkte er, wie er kleiner und immer kleiner wurde, sah aus dem Anzugstoff schwarze Haare wachsen und konnte nicht mehr aufrecht stehen. Dann machte es tief drinnen in ihm dreimal „klick-klack“. Belze lief in das Vorhaus, schaute in den Spiegel und sah, daß er ein prächtiger schwarzer Kater war.

„Na, dann auf zu den Brunnerischen“, sagte sich Belze, rannte in die Küche zurück, sprang in den Unkrautgarten, über den Zaun in den Asterngarten und auf das Fensterbrett der Brunners. Er begann zu miauen. Zuerst leise, dann immer lauter.

Die Frau Brunner machte das Fenster auf. „Ein

Kater, ein wunderschöner Kater", rief sie. Belze sprang ins Wohnzimmer. Er lief zum Ofen und legte sich auf das Ofenblech. Die Brunners und der Besuch — ein Herr und eine Dame — lachten.

„Als ob er da zu Hause wäre", sagte die Dame.

Die Frau Brunner holte einen Schweinsbratenknochen und legte ihn vor Belze hin. Der Knochen roch unheimlich gut, viel besser noch als höllische Ziegenbeine. Belze nagte den Knochen ab. Die Frau Brunner hockte vor ihm und streichelte ihn. „Nein so was", rief sie, „der Kater hat ja violette Augen!"

Herr Brunner und der Herr und die Dame hockten sich auch zu Belze und schauten ihm in die Augen und beteuerten, daß sie noch nie einen violettäugigen Kater gesehen hätten. Der Herr Brunner schaute Belze besonders lang in die Augen. „Diese Augen!" sagte er, „diese Augen kommen mir bekannt vor! Solche Augen habe ich doch schon einmal gesehen!"

Da machte Belze geschwind die Augen zu und legte den Kopf auf die Pfoten. Die Frau Brunner kraulte Belze hinter den Ohren. Plötzlich rief sie: „Mein Gott, der arme Kerl hat da was! Greift her!" Der Herr Brunner und der Herr und die Dame beugten sich zu Belze. Vierzig Finger tapschten auf Belzes Kopf herum. „Das sind vergrößerte Talgdrüsen", sagte der Herr Brunner. „Das sind verhärtete Beulen", sagte die Dame. Der Herr sagte: „Beulen verhärten nicht!" Der Herr tapschte weiter auf Belzes Kopf herum, dann sagte er: „Das sind, bitte schön, Hörner!"

„So ein Blödsinn!" sagte die Dame, „ein Kater ist kein Ziegenbock, ein Kater hat keine Hörner!"

„Zum Teufel nochmal", brüllte der Herr, und Belze zuckte erschrocken zusammen, weil Teufel immer erschrecken, wenn sie ihren Namen hören, „zum Teufel nochmal, das sind Hörner!"

Der Herr und die Dame stritten weiter über Hörner und Katzen, und dann darüber, ob die Dame oder der Herr gescheiter sei, und dann darüber, ob die Dame eine hysterische Gans oder der Herr ein eingebildeter Rüpel sei, und dann verabschiedeten sich die Dame und der Herr, weil sie meinten, man solle Ehekrachs besser zu Hause austragen.

Der Herr Brunner begleitete den Besuch bis zur Haustür. Bei der Haustür sagte die Dame: „Seien es nun Beulen oder Hörner oder Talgdrüsen, die das Katzenvieh hat, am besten geht ihr mit ihm zum Tierarzt. Schließlich könnte es ja auch die Beulenpest sein!"

Als Belze das Wort „Tierarzt" hörte, raste er quer durch das Wohnzimmer und das Vorzimmer, zwischen den Beinen der Dame durch, auf die Straße. Vor lauter Angst rannte er die Straße hinunter, bis zum Bahnhof. Dort bekam er einen neuen Schreck, denn dort hockte ein alter weißer Kater, der fauchte wütend. Belze machte also kehrt.

Die Vordertür vom Brunnerhaus war versperrt. Belzes Haustür war zwar nicht versperrt; sie war bloß angelehnt. Ein Mensch oder ein Teufel hätte sie aufdrücken können, doch ein Kater war gegen die Tür machtlos. Neben Belzes Tür war das Fenster zum Vorhaus, doch gerade in diesem Fenster waren alle Fensterscheiben in Ordnung. Belze wußte nicht, wie er ins Haus hineinkommen könnte. Er lief dreimal miauend um die Häuser herum. Dann entdeckte er im Brunnerhaus ein offenes Kellerfenster. Vom Fenster bis zum Kohlenhaufen, im Keller unten, waren ungefähr drei Meter. So weit war Belze noch nie gesprungen. Er zögerte, doch dann schloß er die Augen und sprang. Er kam recht ordentlich und auf allen vier Pfoten unten an, die Kohlen rutschten ein bißchen, Belze rutschte mit und landete vor einem Regal mit Marmeladegläsern. Er bekam großen Hunger auf Marmelade. Die Gläser hatten gläserne Deckel, und zwischen den Deckeln und den Gläsern waren Gummiringe mit Gummilaschen. Doch sosehr sich Belze auch plagte und mit seinen spitzen Zähnen an den Gummilaschen zog, es wollte kein Glas aufgehen.

Da gab Belze dem größten Marmeladeglas mit der Pfote einen Schubs. Das Glas fiel vom Regal und zerbrach. Belze konnte die Marmelade herausschlecken. Dabei schnitt er sich an einer Glasscherbe und blutete stark an der Schnauze.

Nachher stieg Belze die Kellertreppe hinauf. Die Kellertür stand offen. Aus dem Schlafzimmer hörte er die Brunners schnarchen. Der Herr Brunner schnarchte zweimal kurz — einmal lang, die Frau Brunner schnarchte dreimal lang — einmal kurz.

Belze hätte sich gern ins Ehebett der Brunners, zu den Brunnerfüßen, gelegt, doch hatte er Angst, die Brunners könnten den tierärztlichen Ratschlag des Besuchs ernst nehmen. So schlich Belze leise durch das Schlafzimmer und sprang beim Fenster hinaus, in den Asterngarten, über den Zaun in den Unkrautgarten und zu seinem Küchenfenster hinein.

Belze rollte sich auf dem Bett ohne Matratze zu einer Kugel, murmelte den höllischen Abendspruch und schlief ein. (Der Abendspruch ging so: Ich will ein guter Teufel sein, recht bös und schlecht und sehr gemein. Großmutter Teufel steh mir bei, daß ich ein rechter Teufel sei!)

Zeitig am Morgen wachte Belze auf. Im Haus war es genauso kalt wie am Tag vorher und natürlich auch genauso häßlich. Belze spürte großen Hunger. Großen Durst spürte er auch. Vor dem Fenster sah er die Frau Brunner. Sie hängte nasse Wäsche an die Wäscheleine. Sie darf mich nicht sehen, dachte Belze, sonst packt sie mich vielleicht und rennt mit mir wegen der Beulenpest zum Tierarzt!

Belze hüpfte geduckt auf das Fensterbrett, stupste die Glasscherbe von der Verschlußkappe und schlabberte den Katzenschwanztrank. (Der schmeckte übrigens scheußlich: nach Zimt und Pfeffer und Rizinusöl.)

Im Katzenkörper begann es mächtig zu ziehen, und Belze war es, als ob man ihm sehr viel Luft beim Bauchnabel hineinbliese, er sah die schwarzen Haare kürzer und immer kürzer werden, es machte tief drinnen in ihm dreimal „klick-klack“, und dann stand der Herr Belze auf dem Fensterbrett.

„Was machen Sie denn da oben, Herr Nachbar?“ rief die Frau Brunner erstaunt.

„Morgengymnastik“, stotterte Belze.

Da schaute die Frau Brunner noch erstaunter.

Als sie das letzte Wäschestück aufgehängt hatte, fragte sie Belze, ob er mit ihr frühstücken wolle.

„Gern, von Herzen gern!“ rief Belze, und weil er vor so kurzer Zeit noch eine Katze gewesen war, bedachte er nicht, daß Menschen nicht sehr weit springen können. Er sprang quer über den Unkrautgarten und den Zaun und plumpste in die Astern der Frau Brunner.

„Entschuldigen Sie bitte“, sagte Belze und rieb sich sein Hinterteil. Nur der Umstand, daß er seinen langen Teufelsschwanz mit der schönen Quaste kreuz und quer in der Unterhose stecken hatte, was wie ein dicker weicher Polster wirkte, hatte ihn vor einem Steißbeinbruch gerettet.

„Haben Sie sich weh getan?" fragte die Frau Brunner.

„Sieben Astern habe ich abgebrochen", sagte Belze, während er sich hochrappelte. Da die Frau Brunner eine herzensgute Frau war, erklärte sie, die Astern seien nebensächlich, Hauptsache der Herr Nachbar sei unversehrt.

Belze trank bei der Frau Brunner vier große Häferln voll Milchkaffee und aß sieben Butterbrote mit Honig. Beim Beißen und Kauen und Schlucken merkte er, daß seine Oberlippe spannte. Sie war geschwollen. Er tupfte mit einem Zeigefinger auf die Haut unter der Nase. Er spürte harte Stellen von verkrustetem, eingetrocknetem Blut.

„Was haben Sie denn auf der Oberlippe?" fragte die Frau Brunner.

„Heute nacht, da —" sagte Belze und schwieg wieder.

„Was war heute nacht?" fragte die Frau Brunner.

„Ich weiß auch nicht", stotterte Belze. Ihm fiel nichts ein, was ihm heute nacht hätte geschehen können, wenn er keine Katze gewesen wäre, sondern friedlich als Herr Belze im Bett geschlafen hätte.

Die Frau Brunner schüttelte besorgt den Kopf. „Herr Nachbar", meinte sie, „Ihnen passiert aber allerhand. Sie müssen vorsichtiger sein!"

Belze versprach, vorsichtiger zu sein.

„Der Sprung vorhin", sagte die Frau Brunner, „also, ich bin so erschrocken, wie Sie da so durch den

Garten über den Zaun gesaust kamen. Wie im Zirkus!"

Belze kannte das Wort Zirkus nicht. Aber er nickte trotzdem. Die Frau Brunner dachte einen Augenblick nach, dann fragte sie: „Übrigens, was haben Sie für einen Beruf?"

Ja, was hatte Belze für einen Beruf? Irgendwann einmal, in der gewöhnlichen Teufelsschule, hatte er alle Berufe, die die Erdenmenschen ausüben, auswendig lernen müssen, doch jetzt wollte ihm kein einziger Beruf einfallen. Verdammt, dachte Belze, wie heißen denn die blöden Berufe? Milchanwalt? Rechtsfrau? Schneidergärtnerin? Kindermeister? Oberfrau? Cloförster? Hundelehrer? Hauptschulzüchter?

„Ich bin Hauptschulzüchter", sagte Belze.

„Wie bitte?" Die Frau Brunner stellte ihr Kaffeehäferl so schnell und so fest auf den Tisch, daß der Kaffee überschwappte, und das Butterbrot ließ sie auf das Tischtuch fallen. Mit der Honigseite nach unten. Belze begriff, daß er wieder einmal etwas ziemlich Falsches gesagt haben mußte.

„Sagten Sie: Hauptschulzüchter?" fragte die Frau Brunner und drehte das Honigbrot um. Belze wußte nicht, was er nun sagen sollte. Vielleicht war Hauptschulzüchter doch ein Beruf? Wer konnte das wissen? Belze wußte es nicht. Und weil er es nicht wußte, so lächelte er. (Viele Leute lächeln, wenn ihnen sonst gar nichts mehr einfällt.) Die Frau Brunner schaute den lächelnden Belze an, dabei schaute sie ihm in die violetten Augen mit den seidigen Wimpern.

„Ist ja ganz gleich, welchen Beruf Sie haben", meinte sie, „ein sehr lieber Mensch sind Sie auf alle Fälle!" Und dann lächelte die Frau Brunner auch.

Die Frau Brunner und Belze lächelten sich noch zwei Butterbrote und ein Kaffeehäferl lang an, dann schaute die Frau Brunner auf die Uhr und rief: „Es ist ja schon neun Uhr vorbei! Ich muß zur alten Höllriegel. Fenster putzen."

Die Frau Brunner stand auf und holte ihren Mantel und ihre Handtasche. Sie zog den Mantel an.

„Auf dem Fahrrad wird mir heute wieder sehr kalt werden", sagte sie, „heute weht ein starker Wind!" Die Frau Brunner steckte die Geldbörse und ein Taschentuch ein. Sie schaute in die offene Handtasche. „Na, vielleicht", sagte sie und zog dabei einen bunten Zettel aus der Tasche, „vielleicht krieg ich demnächst ein Auto!" Sie zeigte Belze den bunten Zettel.

7. WINTERLOTTERIE stand auf dem Zettel, und darunter:

1. PREIS: EIN GROSSES AUTO
2. PREIS: EIN KLEINES AUTO
3. PREIS: EIN MOTORRAD

Die Frau Brunner steckte das Los wieder in die Tasche. „Die Ziehung ist nächsten Samstag", sagte sie, „aber ich gewinne ja sicher nichts!" Und dann holte die Frau Brunner das alte Fahrrad aus dem Abstellraum und knöpfte den Mantel zu, und Belze mußte nach Hause gehen.

Zu Hause versuchte Belze wieder, mit den Spinnen ins Gespräch zu kommen und Feuer zu machen.

Beides mißlang. Da ging Belze spazieren. Die meisten Leute auf der Straße hatten dicke Mäntel an. Belze hatte keinen Mantel. In den Schaufenstern gab es eine Menge Mäntel, doch an den Preisschildern konnte Belze sehen, daß die dicken Mäntel sehr teuer waren. Sie kosteten mehr Geld, als Belze überhaupt besaß. Belze entdeckte auch ein Ofengeschäft und sah, daß ein mittelgroßer Ofen doppelt soviel kostete, wie ihm von den Ersparnissen der Chefin noch geblieben war. Und Belze entdeckte, daß auch Essen und Trinken eine Menge Geld kosteten. Belze ging nach Hause und war sehr niedergeschlagen. Er hockte sich auf das Bett ohne Matratze und dachte: Ich habe kein Geld für einen Ofen, kein Geld für einen Mantel, keine Matratze und zerbrochene Fensterscheiben! Das ist kein Leben hier!

Er dachte: Ich muß die Brunners so schnell wie möglich unglücklich und schlecht machen!

Belze dachte angestrengt nach. Was sollte er tun? Wie wurde man unglücklich? Wie wurde man schlecht? Vor lauter Anstrengung beim Denken knackten und krachten Belzes Hörner. Da erinnerte er sich an einen Lernsatz aus der gewöhnlichen Teufelsschule, den er einmal zur Strafe fünfzigmal hatte abschreiben müssen: GELD VERDIRBT DEN CHARAKTER!

Und dann erinnerte er sich an den Ausspruch seines Chefs: AUTOS SIND EIN FLUCH! DIE SIND SO, ALS OB WIR SIE ERFUNDEN HÄTTEN!

Da sprang Belze auf und rief: „Ich hab's! Ich hab's! Morgen gehe ich zum Chef vom Herrn Brunner und sehe zu, daß Geld ins Haus kommt und den Charakter verdirbt! Und übermorgen gehe ich zur Lotterie und verschaffe der Frau Brunner das Auto, damit der wahre Fluch über sie kommt!"

Da bis morgen früh nichts zu erledigen war, was das Unglück bei den Brunners hätte herbeiführen können, ging Belze ins Kino und schaute sich einen Film an, der ihn sehr erschreckte, weil so viel geschossen und geprügelt wurde. Als Belze aus dem Kino kam, traf er den Herrn Brunner. Der kam gerade vom Büro nach Hause. Belze ging neben dem Herrn Brunner her und fragte: „Sagen Sie, Herr Nachbar, gestern in Ihrem Garten sah ich eine Katze. Gehört die Ihnen?"

Der Herr Brunner sagte, die schwarze Katze gehöre nicht ihnen. Sie sei ins Wohnzimmer gekommen und habe sich einfach vor den Ofen gelegt.

„Mögen Sie Katzen?" fragte Belze.

Der Herr Brunner sagte, er liebe Katzen, besonders schwarze, besonders Kater.

„Und wenn sie die Beulenpest haben?"

Der Herr Brunner lachte und sagte, der schwarze Kater, der zu ihnen auf Besuch kommt, der habe garantiert keine Beulenpest.

Belze war erleichtert. Er sagte dem Herrn Brunner, er müsse noch ein paar Wege erledigen und lief ganz schnell nach Hause. Er trank vom Katzenschwanztrank und sprang zu den Brunners. Die Frau Brunner freute sich sehr. „Da ist er ja wieder, mein schöner schwarzer Kater", sagte sie und kraulte Belze so zart, daß der Belze schnurren mußte.

Belze blieb über Nacht bei den Brunners. Er schlief zu den Füßen des Herrn Brunner und der Frau Brunner.

Am Morgen, während sich der Herr Brunner rasierte, sprang Belze in sein Haus zurück. Er trank den Katzenschwanztrank aus der Verschlußkappe, wartete, bis er Herr Belze wurde, dann holte er die Tarnkappe aus dem Koffer und stülpte sie über. Die Tarnkappe zwickte und kratzte und war überhaupt sehr unangenehm.

Belze wartete, bis der Herr Brunner aus seinem Haus kam, dann ging er hinter ihm her bis zur Fabrik und stieg hinter ihm in den ersten Stock hinauf. Der Herr Brunner verschwand hinter der Tür mit der Aufschrift: BUCHHALTUNG. Belze verschwand hinter der Tür mit der Aufschrift: DIREKTION.

Das Direktionszimmer war riesig. Ein großer und ein kleiner Schreibtisch standen darin. Hinter dem großen saß ein Mann, hinter dem kleinen saß ein Fräulein. Als Belze die Tür aufmachte, schauten der Mann und das Fräulein auf. Der Mann sagte: „Fräulein Else, die Tür ist offen!"

Das Fräulein ging zur Tür, wollte sie schließen, zwickte dabei Belze zwischen Türstock und Türblatt ein und rief: „Die Tür klemmt!"

Der Mann kam nun auch zur Tür. Er drängte das Fräulein Else von der Tür weg. Belze konnte ins Zimmer schlüpfen. Er rieb sich seinen eingeklemmten Bauch und stöhnte. Daß er sich den Bauch rieb, fiel nicht auf, da er ja unsichtbar war, und das Stöhnen hielten der Mann und das Fräulein Else für Türangelgeknarre.

Der Mann ließ die Tür mit großem Schwung zufallen. Weil Belze nicht mehr in der Tür stand, konnte die Tür ins Schloß klicken, und der Mann rief: „Gar nichts klemmt! Da muß eben ein Mann her!"

Der Mann setzte sich wieder zu seinem Schreibtisch, und das Fräulein Else setzte sich auch wieder zu ihrem Schreibtisch und nickte zustimmend. Das tat sie nicht nur, um ihrem Chef zu gefallen. Sie glaubte wirklich, daß Männer besser geeignet sind, Türen zuzumachen.

Belze ging zum Schreibtisch des Mannes. Er wollte dem Mann, der der Chef vom Herrn Brunner war, einflüstern, daß er den Herrn Brunner zum Oberbuchhalter machen sollte. „Einflüsterung" war ja der Hauptgegenstand in der Höheren Teufelsschule gewesen.

Der Mann las einen Brief, das Fräulein zählte die Überstunden der Angestellten nach.

Belze beugte sich zum Mann und flüsterte ein: „Der Herr Brunner soll Oberbuchhalter werden!"

Belze konnte leider auch nicht einflüstern. Selbst das hatte er in der Schule verschlafen! Unglaublich laut schallte es durch das Zimmer: „Der Herr Brunner soll Oberbuchhalter werden!"

Das Fräulein schaute von der Überstundenliste auf und rief: „Ja, fein, darauf wartet er schon lange!" (Das Fräulein dachte, ihr Chef habe eben gesprochen.)

Der Chef wollte rufen, daß er den Herrn Brunner keineswegs zum Oberbuchhalter machen wolle, daß da jemand anderer gesprochen haben mußte, doch vor Schreck brachte er kein Wort heraus. Und dann schallte es durch das Zimmer: „Und doppelt soviel Geld soll er bekommen!“

„Doppelt soviel?“ Das Fräulein war erstaunt. „Ist doppelt soviel nicht zuviel?“

„Aber keineswegs“, brüllte Belze.

„Ich, Fräulein Else, ich —“ stammelte der Mann.

„Sie, Sie —“ sagte das Fräulein Else ergriffen, „Sie sind ein guter Mensch, Herr Chef!“

„Aber nein!“ rief der Mann.

„Aber ja“, unterbrach ihn das Fräulein Else milde.

Der Mann wollte laut brüllen, daß da irgendwo ein Teufelsapparat eingebaut sein müsse, der Blödsinn daherrede, und daß er sich das nicht gefallen lasse, doch gerade in diesem Moment zwickte den Belze die Tarnkappe enorm. Belze griff nach der zwickenden Stelle. Die Tarnkappe verruschte ein bißchen. Wenn Tarnkappen ein bißchen verrutschen, dann wird ein Stückchen vom Kappenträger sichtbar! Der Mann sah plötzlich einen Zeigefinger in der Luft vor sich schweben. Einen — wie ihm vorkam — drohenden, mahnenden Zeigefinger.

Da brüllte der Mann nicht los. Er lehnte sich zurück und atmete dreimal tief durch. Belze steckte seine rechte Hand geschwind in die Hosentasche. Der große Mann atmete noch einmal tief durch und starrte auf die Stelle, wo gerade der Zeigefinger gewesen war, dann seufzte er und sprach: „Also schön, holen Sie den Brunner her!“

„Sofort, Herr Chef“, rief das Fräulein Else und lief ins Nebenzimmer zum neuen Oberbuchhalter.

Als das Fräulein Else aus dem Zimmer draußen war, wischte sich der Chef zuerst einmal den Schweiß von der Stirn. Dann schaute er sich vorsichtig im Zimmer um, ob da noch irgendwo ein mahnender, drohender Zeigefinger war. Er sah keinen Zeigefinger. Er sah nur, wie die Zimmertür aufging, weit offen stand und dann wieder ins Schloß fiel. Doch für einen, der gerade Zeigefinger gesehen und Stimmen gehört hatte, war das weiter nicht aufregend.

Belze ging unsichtbar bis zum kleinen Park hinter dem Hauptplatz. Dort setzte er sich auf eine Bank und nahm die Tarnkappe herunter. Er hatte starkes Kopfweh. Trotzdem war er sehr zufrieden.

„Geld verdirbt den Charakter“, murmelte er ein paarmal vor sich hin. Und dann murmelte er: „Die halbe Arbeit habe ich hinter mir!“

Weil es ziemlich kühl war, blieb Belze nicht lange auf der Bank sitzen. Er ging nach Hause. Dort war es genauso kalt und sehr häßlich und traurig. Belze trank vom Katzenschwanzwasser und sauste durch den Unkrautgarten und den Asterngarten zur Frau Brunner.

„Komm, alter Kater“, sagte die Frau Brunner. „Laß dich streicheln!“

Belze sprang der Frau Brunner auf den Schoß. Die Frau Brunner kraulte ihn am Bauch. Belze schnurrte. Die Frau Brunner gähnte.

„Ach Kater“, sagte sie, „bin ich müde! Sieben große und vier kleine Fenster habe ich geputzt! Und nachher hat die alte Höllriegel gekeift, daß man in der Sonne auf den Scheiben matte Wischer sieht. Dabei hat die Sonne gar nicht geschienen!“

Die Frau Brunner schaute traurig drein. „Ein Leben ist das!“ seufzte sie. Aber dann lächelte sie wieder und sagte: „Na ja, andere Leute haben es noch viel schlechter! Man darf nicht unzufrieden sein!“ Und dann nahm sie den Kater auf den Arm und trug ihn in die Küche.

„Du hast sicher Durst!“ Sie stellte den Kater auf den Boden, holte eine kleine Schüssel aus dem Küchenkasten und füllte sie mit Milch. Belze schlabberte die Milchschüssel leer.

„Und Hunger hast du sicher auch!“ Die Frau Brunner holte eine Knackwurst aus dem Eiskasten, schnitt sie in Scheiben und legte die Wurstscheiben in die Milchschüssel. Belze fraß alle Wurstscheiben.

„Na, geht 's dir jetzt gut?“ Die Frau Brunner beugte sich zu Belze hinunter.

„Miau“, sagte Belze, und das hieß: Danke, sehr gut! (Belze, wenn er eine Katze war, konnte nicht sprechen. Nicht nur, weil er nicht durfte, sondern er konnte nur auf dreizehn verschiedene Arten miau sagen. Doch Leuten, die Katzen mögen, genügt das. Die kennen sich mit der Miausprache aus.)

Belze blieb den ganzen Tag bei der Frau Brunner. Er schlief ein bißchen, schlich im Haus herum, und zu Mittag, als die Sonne ein paar Minuten aufs Fenster schien, spielte Belze mit den Sonnenkringeln auf dem Fensterbrett.

Belze wußte, daß der Herr Brunner gegen halb sechs Uhr vom Büro nach Hause kommen sollte. Um fünf Uhr setzte sich Belze zur Haustür und wartete.

Der Herr Brunner kam schon um viertel sechs. Er riß die Haustür auf und war so aufgeregt, daß er Belze völlig übersah. Er rannte zur Frau Brunner in die Küche, umarmte sie und rief: „Ich bin Oberbuchhalter! Ober-oberbuchhalter!“

Die Frau Brunner begann vor Freude zu weinen, doch Belze wußte nicht, daß man auch aus Freude weinen kann und dachte sich: Na, das Unglück fängt ja schon an!, und schnurrte begeistert.

„Heute abend machen wir ein Freudennachtmahl mit vier Gängen!" sagte die Frau Brunner.

„Wir zwei allein!" sagte der Herr Brunner.

„Und Wein trinken wir auch!" sagte die Frau Brunner. Der Herr Brunner schaute aus dem Fenster. Er schaute auf Belzes Haus. Er sagte: „Weißt du, unser Nachbar tut mir leid. Wir werden hier gut essen und trinken, und er wird drüben mit seinem niederen Blutdruck einsam sein!"

„Ich lade ihn ein", sagte die Frau Brunner, „er soll auch ein Freudennachtmahl haben!"

Als Belze das hörte, sauste er zur Hintertür hinaus. Er hatte es schrecklich eilig, Herr Belze zu werden.

Gerade als die letzten Katzenhaare im Anzugstoff verschwanden und es tief innen in Belze dreimal „klick-klack" machte, kam die Frau Brunner.

„Herr Nachbar", rief sie, „er ist nun doch Oberbuchhalter geworden! Heute wird gefeiert!"

„Es ist mir eine Ehre", Belze verbeugte sich und hielt sich dabei die Hand vor den Mund. Sein Katzenschnurrbart war nämlich noch nicht ganz verschwunden. Die Frau Brunner bat Belze, pünktlich um sieben Uhr zu kommen, damit das Freudennachtmahl nicht auskühle.

Belze wartete, daß es sieben Uhr würde. Er kämmte seine Ringellocken, er wischte mit einem Zeitungsblatt die Schuhe sauber, er zupfte Staubflocken von seinem Anzug und summte zufrieden vor sich hin. Vor lauter Zufriedenheit fror er gar nicht.

Das Freudennachtmahl wurde wunderschön. Leider trank Belze zuviel Wein und vergaß dabei, daß ein Teufel auf der Welt nicht alles sagen darf, was ihm gerade einfällt.

Schon beim Toast mit Lachs, als der Herr Brunner erzählte, er habe sich sein Leben lang gewünscht, Oberbuchhalter zu werden, rief Belze: „Ich habe mir als Kind immer gewünscht, Zangenzwicker zu werden, aber das haben sie jetzt bei uns verboten!“ Da schaute der Herr Brunner seine Frau an, und die die Frau Brunner schaute ihren Mann an, und dann schauten sie beide besorgt den Nachbarn an. Doch der Nachbar bemerkte das nicht.

Bei der Forelle sagte Belze: „Fisch haben wir unten nie, denn im kochenden Wasser kann man nur Satansstechlinge ziehen, und die sind voll Gräten!“

Bei der Kalbsbrust sagte Belze: „Das schmeckt aber gut. Viel besser noch als Ziegenfuß!“, und bei den Eisbaisers rief er: „Dagegen ist ein Brennesselstrudel gar nichts!“

„Brennesselstrudel?“ fragten die Brunners entsetzt, und Belze, der schon das zehnte Glas Wein getrunken hatte, sprach: „Brennesselstrudel ist sehr gut, vor allem wenn er in Ziegendärmen gebacken wird, da wird dann die Kruste vom Darmfett schön knusprig. Der Chef sagt immer, für Brennesselstrudel gäbe er eines seiner drei goldenen Haare her!“

„Welcher Chef?“ fragte die Frau Brunner.

„Welche drei goldenen Haare?“ fragte der Herr Brunner. Belze merkte, daß er zuviel getrunken und zuviel geredet hatte und sagte, jetzt müsse er aber schnell nach Hause gehen, er habe morgen etwas Wichtiges vor. Die Brunners brachten ihn bis zur Hintertür.

„Ein komischer Mensch“, sagte der Herr Brunner.

„Ziegendärme!“ Die Frau Brunner schüttelte sich. „Brennesselstrudel in Ziegendärmen! Wo gibt's denn so was?“

„Dort, wo der Herr Belze herkommt, gibt 's so was“, sagte der Herr Brunner.

„Wo kommt er denn her?“ fragte die Frau Brunner.

Der Herr Brunner dachte nach. „Er sieht fremdländisch aus!“

„Er sieht wie der schwarze Kater aus!“ sagte die Frau Brunner.

„Und an irgend etwas erinnern mich diese drei goldenen Haare“, sagte der Herr Brunner.

Der Herr Brunner war ein gescheiter Mensch, und wenn er noch weiter darüber nachgedacht hätte, woran ihn die drei goldenen Haare erinnern, dann wäre er wahrscheinlich dahintergekommen. Doch die Frau Brunner unterbrach ihn beim Denken. „Hauptsache, er ist lieb und du bist Oberbuchhalter“, sagte sie und zog ihn ins Haus hinein.

Belze verbrachte die Nacht als Katze, weil eine Katze in einem Bett ohne Matratze, Polster und Decke weniger friert.

Am nächsten Morgen beschloß Belze, die zweite Hälfte seines Teufelsplanes in die Tat umzusetzen, da heute der Tag der Winterlotterie-Ziehung war. Belze blieb in Katzengestalt, weil er den Plan als Katze ausführen mußte.

Die Ziehung fand auf einem großen Platz hinter dem Bahnhof statt. Die Leute, die sich ein Los gekauft hatten, waren alle dort, und Würstelverkäufer und Limonade- und Bierverkäufer und Luftballonverkäufer waren auch dort. Die vielen Leute glaubten ja alle, bald das große Los zu ziehen, und wenn man so etwas glaubt, dann wird man großzügig und kauft sich Würstel und Bier und den Kindern Limonade und Luftballons.

In der Mitte des Platzes war eine Tribüne, auf der standen das große Auto, das kleine Auto, das Motorrad und die vielen schönen Trostpreise: Bücher und Tauchsieder, Quirle und Nähkörbchen, Plastikblumen und Stofftiere, Nagelscheren und Baukästen. Die Zettel mit den Losnummern waren in einer riesigen, durchsichtigen Trommel, die man drehen konnte. Neben der drehbaren, durchsichtigen Trommel voll Losnummern stand ein Herr in dunkelgrauem Anzug und rief in ein Mikrophon: „Meine Damen und Herren, in zehn Minuten ist es soweit! In zehn Minuten kann der glückliche Besitzer sein Auto abholen, sein Motorrad abholen, seine Plastikblumen abholen!“

Die vielen Leute auf dem großen Platz warteten ungeduldig. Sie hielten ihre Lose in den Händen. Sie ermahnten ihre Kinder, den Mund zu halten. Sie reckten die Köpfe, um besser zum Podium sehen zu können. Die Frau Brunner stand vorne in der ersten Reihe. Auch sie hielt ihr Los in der Hand. Sie glaubte nicht, daß ihr Los einen großen Gewinn machen würde. Sie hoffte auf ein paar Plastikblumen oder eine gute Nagelschere.

Belze kam eine Minute vor der Ziehung. Er kam als Katze mit Tarnhaube und wäre zwischen den vielen Beinen fast zerquetscht worden. Er drängelte sich mutig durch die Beine durch bis zur ersten Reihe, bis zur Frau Brunner. Er sprang der Frau Brunner auf die Schulter, weil er die Losnummer sehen wollte. Die Losnummer war leicht zu merken: 123 456.

Als Belze der Frau Brunner auf die Schulter sprang, rief die Frau Brunner zuerst leise „auweh" und dann dachte sie: Jetzt hab ich einen falschen Luftzug erwischt! Und dann, als Belze von der Schulter sprang, dachte sie: Gott sei Dank, doch kein Hexenschuß!

Belze sprang auf das Podium hinauf und in die durchsichtige Trommel hinein. Er grub mit allen vier Pfoten in den Zetteln herum und suchte nach dem Zettel mit der Nummer 123 456. Es war viel schwieriger, als er gedacht hatte! Er wühlte und wühlte und wühlte und schnaufte vor Anstrengung. Den Zettel mit der Nummer 123 456 fand er nicht. Und die Tarnkappe wurde schon wieder undicht! Belzes linkes Ohr war zu sehen, doch niemand von den Leuten sah es, weil alle Leute viel zu aufgeregt waren. Dem Mann im dunkelgrauen Anzug fiel natürlich auf, daß die Zettel in der großen, durchsichtigen Trommel durcheinanderkugelten, doch er dachte, das komme vom Wind.

„Es ist soweit! Es ist soweit!" rief der Herr auf dem Podium. Die vielen Leute wurden mucksmäuschenstill. Ein kleines Mädchen in weißem Kleid stieg auf das Podium. Es hatte lange, blonde Locken.

„Unser Waisenkind!" rief der Herr.

Das Waisenkind verneigte sich. Der Herr ergriff die Kurbel an der durchsichtigen Trommel und begann die Kurbel zu drehen. Nun wirbelten die Zettel in der großen Trommel durcheinander und Belze wirbelte mit. Er sperrte die Augen weit auf. Da war der Zettel mit der Nummer 123 456! Belze grapschte mit den Vorderpfoten nach dem Zettel und hielt ihn fest. Die Trommel drehte sich langsamer, die Trommel stand still. Das Waisenkind griff mit der rechten Hand in die Trommelöffnung, tief in den Zettelberg hinein. Die kleinen Finger des Waisenkindes wühlten in den Zetteln. Belze drängte dem Waisenkind den Zettel 123 456 zwischen die Finger. Das Waisenkind wollte den Zettel nicht haben, es griff nach einem anderen. Da biß Belze das Waisenkind in den Finger, und das Waisenkind ließ den falschen Zettel los. Belze schob wieder den Zettel 123 456 zwischen die Finger des Waisenkindes.

„Na, beeil dich Kindchen“, sagte der Herr neben der großen Trommel. Das Waisenkind versuchte noch einmal nach einem falschen Zettel zu greifen, spürte wieder einen Stich im Finger und nahm endlich den richtigen Zettel.

„Kindchen, zeig her!“ rief der Herr schon ungeduldig.

Das Waisenkind reichte ihm den Zettel 123 456.

„Das große Los zog die Nummer 123 456!“ schrie der Herr ins Mikrophon.

Belze sprang aus der Trommel. Weil aber die Öffnung in der Trommel ziemlich eng war, blieb die Tarnkappe daran hängen. Ein Herr in der ersten Reihe glaubte Sehstörungen zu haben, denn er sah eine schwarze Katze aus der Trommel hüpfen. Doch er war der einzige, der das bemerkte. Die anderen Leute schauten auf ihre Losnummern, der Herr an der Trommel schaute auf die Leute, und das Waisenkind schaute auf seinen Finger.

Belze wartete nicht, bis das Waisenkind die Losnummern vom kleinen Auto, vom Motorrad und den vielen Trostpreisen aus der Trommel gezogen hatte. Er wartete nur, bis der Herr ins Mikrophon brüllte: „Kann der glückliche Besitzer des Loses 123 456 zu mir heraufkommen?“ Als die Frau Brunner „Hier bitte“ rief und aufgeregt mit ihrem Los winkte und dann von den Leuten bestaunt und beneidet zur Tribüne ging, lief Belze nach Hause.

In Belzes Vorhaus roch es merkwürdig. Nach Zimt und Pfeffer und Rizinusöl. Belze lief in die Küche und sah, daß die Katzenschwanztrankflasche zerbrochen auf dem Boden lag. Wahrscheinlich hatte der Wind einen Fensterflügel aufgestoßen, und der hatte die Flasche vom Herd geworfen. Belze schnupperte an der ausgeronnenen Flüssigkeit. Der Spiritus und der Äther waren verdunstet. Am Fußboden klebte bloß ölig grünes Zeug. Belze schleckte daran, doch nichts geschah. Niemand blies ihm Luft in den Nabel, nichts machte „klick-klack“ in seinem Inneren. Er blieb eine Katze.

Auf dem Fensterbrett stand die Verschlußkappe voll Verwandlungstrank. Die reichte gerade für eine einzige Verwandlung.

Belze dachte: Wenn ich jetzt die Verschlußkappe leerschlecke, dann werde ich zum Herrn Belze und muß immer der Herr Belze bleiben, dann kann ich zwar die Brunners besuchen, doch am Abend muß ich nach Hause gehen! Und ich habe kein Geld für eine Matratze und kein Geld für einen Mantel und kein Geld für einen Ofen!

Lange, sehr lange saß Belze da und überlegte.

Dann rief er: „Miau“, und das hieß diesmal: „Nein!“ Belze sprang auf das Fensterbrett und gab der Verschlußkappe mit der Pfote einen Stups. Die Verschlußkappe flog in weitem Bogen in den Unkrautgarten, der Katzenschwanztrank schwappte aus und versickerte zwischen den Brennesseln.

„Miau“, sagte Belze und das hieß in diesem Fall: „Ich bleibe eine Katze!“

Vor Freude über diese Entscheidung sprang Belze einen Meistersprung: vom Fensterbrett seiner Küche bis zur Hausmauer der Brunners. Er hüpfte auf das Wohnzimmerfensterbrett und rief, so laut wie ein großer Kater nur rufen kann: „Miau!“

Belze mußte lange rufen, bis ihm die Brunners das Fenster aufmachten. Die Brunners waren beide schon zu Hause. Aber sie hatten ihn nicht gehört. Sie waren mitten im Wohnzimmer gestanden und hatten sich umarmt und geküßt. Bei solchen Beschäftigungen hört man schlecht.

Als Herr Brunner dann doch das Fenster aufmachte, sprang Belze ins Zimmer, lief zum Ofen und legte sich auf den Katzenpolster.

„Ich glaub, der will ganz bei uns bleiben!“ sagte die Frau Brunner. Der Herr Brunner nickte. Belze nickte auch.

„Jetzt haben wir einen Oberbuchhalter, ein Auto und eine Katze! Sind wir nicht glückliche, zufriedene Leute!“ lachte die Frau Brunner.

„Ja, das sind wir“, sagte der Herr Brunner, nahm seine Frau wieder in die Arme und küßte sie.

Belze hockte erschrocken auf dem Katzenpolster. Glücklich und zufrieden sind sie, dachte er. Sein Katzenherz schlug aufgeregt und laut. Wie können sie denn glücklich und zufrieden sein? Ich habe doch alles gut und richtig gemacht! Oder?

Aber Katzen können nicht allzulange nachdenken. Höchstens über Milch und Leber und warme Öfen. Belze legte den Kopf auf die Pfoten und schloß die Augen. Sein Katzenherz beruhigte sich. Was reg ich mich denn auf, dachte er. Das ganze Theater von gut und böse und glücklich und unglücklich ist mir zuwider! Hauptsache, die Frau Brunner bringt mir eine Schüssel voll Milch und eine Tasse voll Leber! Und der Ofen geht nicht aus!

Belze und die Brunners lebten in Frieden und Freuden. Der Herr Brunner oberbuchhalterte den ganzen Tag. Die Frau Brunner kaufte sich einen Riesenstaubsauger und einen Riesenbesen und eine Kiste mit Putzmitteln. Sie malte mit weißer Lackfarbe auf ihr rotes Auto: REINIGUNGSDIENST BRUNNER. Sie fuhr jeden Vormittag durch ganz Boinstingl und putzte einmal da ein Fenster und einmal dort einen Fußboden. Sie verdiente viel mehr Geld als bei der alten Höllriegel und mußte sich weniger plagen. Am Nachmittag war die Frau Brunner zu Hause. Da saß sie dann im Wohnzimmer, hatte den Belze auf dem Schoß und kraulte ihn hinter den Ohren. Belze wurde noch größer und dicker, und das Denken vergaß er ganz.

Es interessierte ihn nicht einmal, als eines Tages der Notar Bunsenbichler kam und Belzes Haus besuchte. Belze saß gerade auf dem Wohnzimmerfensterbrett. Er hatte ein Auge offen und ein Auge zu. Mit dem offenen Auge sah er, daß der Notar Bunsenbichler einem Herrn das Haus zeigte, und er hörte den Notar sagen:

„Der Mieter, der vorher da war, ist spurlos verschwunden. Sie können gleich einziehen!"

Sogar als der Notar rief: „Ach, da hat er ja sein rotes Köfferchen stehen lassen. Ach, da ist ja noch etwas Geld drinnen!" wackelte Belze nicht einmal mit einer Ohrspitze.

Manchmal, am Abend, sprachen die Brunners von ihrem ehemaligen Nachbarn. Wenn Belze das hörte, dachte er, ihr Nachbar? Und dann fiel ihm ein, daß da, im Haus dahinter, einmal ein Mann gewohnt hatte, und er sagte sich: Ja, ja, ich glaube, das war ein netter Mann!

Seit die Chefin Belze auf die Erde geschickt hatte, waren fast zwei Jahre vergangen. Die Chefin hatte inzwischen vierzehn neue Kinder bekommen, dem Chef war eines der drei goldenen Haare ausgegangen, und die Großmutter mußte im linken Hausschuh eine Plattfußeinlage tragen.

Die Wette hatte die Chefin vergessen.

Eines Morgens, die Chefin saß beim Frisiertisch und brannte sich Dampflocken, fragte Luzifer: „Wie viele Schlummerlieder kennst du?"

„Keines", sagte die Chefin.

„Lern ein paar", rief Luzifer, „übermorgen ist es soweit!"

Zuerst verstand die Chefin überhaupt nicht, wovon Luzifer sprach. Doch als er das Wettbuch unter der Matratze hervorholte und ihr die Wette über die Brunners unter die Nase hielt, wurde die Chefin schweinsrosa-bleich. Sie rannte zum Erdenfernrohr und stellte es auf Boinstingl ein. Sie schaute lange durch das Fernrohr und fluchte fürchterlich. Zwischen dem vielen Fluchen jammerte sie immer wieder: „Wo ist denn der Satanskerl, wo ist er denn?"

Der Chef erhob sich aus dem Bett. „Komm, abgrundliebes Weib, ich zeig ihn dir!" sagte er. Die Chefin überließ ihrem Mann das Fernrohr. Luzifer rückte das Fernrohr zurecht, grunzte zufrieden. „So, wenn du jetzt durchschaust, dann siehst du ihn!"

Die Chefin glotzte ins Fernrohr. Sie sah die Frau Brunner. Die Frau Brunner hatte einen Kater auf dem Schoß. „Wo ist der Satanskerl! Ich seh ihn nicht! Hat er die Tarnkappe auf?“

„Auf ihrem Schoß sitzt er!“ lachte Luzifer.

„Was, der fette, ausgefressene Katerkerl dort?“ Die Frau Chefin zitterte vor Wut und Enttäuschung.

Luzifer nickte und hüpfte vor Schadenfreude auf einem Bein im Kreis herum. Dabei sang er: „Jeden Tag ein Schlummerlied und auf ewig Haarekraulen, das wird fein, feiner, am feinsten!“

Die Frau Teufel wurde so wütend, wie Teufel nur ganz selten wütend werden. Sie tobte durch die Hölle und spuckte Feuer und Schwefel und weinte und kreischte und riß sich selber an den Haaren. Dadurch entstand oben auf der Erde, mitten in der Wüste Gobi, ein großes Erdbeben, über das sich die Wissenschaftler sehr wunderten.

Die Frau Teufel tobte sieben Stunden lang durch die Hölle. Nicht einmal ihre Lieblingskinder wagten sich in ihre Nähe. Nach sieben Stunden war sie so erschöpft, daß sie zitternd und schluchzend vor dem Kamin im Wohnzimmer niedersank, sich in das Wolfsfell der Großmutter wickelte und einschlief.

Sie schlief aber nicht lange. Die Großmutter weckte sie. „Steh auf und benimm dich normal!“ sagte die Großmutter streng.

Die Frau Teufel gehorchte.

Die Großmutter sprach: „Zuerst war es mir egal, wer die Wette gewinnt. Außerdem kann ich dich nicht leiden. Aber mein Enkel ist in letzter Zeit sehr widerlich. Er verbietet mir alles, und gestern hat er gesagt, ich gehöre zum uralten Eisen!"

„Na und?" fragte die Frau Teufel schluchzend.

„Ich werde dir helfen, weil ich auf meinen Enkel eine Wut habe!"

„Es ist zu spät!" schluchzte die Frau Teufel, „viel zu spät. In vierundzwanzig Stunden kann man da nichts mehr gutmachen!"

„Wo ein Wille ist, ist auch ein Weg!" rief die Großmutter, packte die Chefin am Arm und zog sie vom Kamin weg, geradeaus in die Höllenabstellkammer. Die Höllenabstellkammer war vollgestopft mit den merkwürdigsten Sachen. Nur die Großmutter kannte sich dort aus. Da waren Hexenbesen und Hinkefüße, Pferdeschwänze und Hexennasen, Teufelsketten und Stinkbomben und Zerrspiegel und Rußfässer und tausend andere Sachen mehr. Alle waren von einer dicken Staubschicht überzogen.

Die Großmutter klopfte mit ihrem Krückstock auf den Boden und rief: „Spinnen, herhören! Ich brauche den Spruch, mit dem man sich in eine schöne Frau verwandelt!"

Eine fette Kreuzspinne ließ sich an einem glänzenden Faden von der Decke herunter. Sie sagte: „Der steht im Buch Nummer 63, in der Bücherei auf dem hintersten Regal!"

„Mein Enkel, der Schweinsrüssel", sagte die Großmutter, „hat die Bücherei zusperren lassen und rückt den Schlüssel nicht heraus!"

„Dann kann ich dir auch nicht helfen!" Die Spinne kletterte auf ihrem glänzenden Faden hoch.

„Spinne", sagte die Großmutter, „du bist klein, du kannst durch das Schlüsselloch in die Bücherei hinein!"

„Nein", rief die Spinne von der Decke herunter, „der Chef hat Insektengift in die Schlüssellöcher gestreut. Ich bin doch nicht verrückt, da durchzukriechen!"

Die Großmutter rief nach den anderen Spinnen und nach den Höllenasseln und den Teufelstausendfüßlern und den Satansschaben und bat sie, durch das Schlüsselloch in die Bücherei zu kriechen. Niemand wollte in die Bücherei kriechen. Eine alte Assel rief: „Dieses Insektengift ist von der Welt oben! Das ist ein Nervengift! Selbst wenn ich hineinkrieche und den Spruch finde und ihn mir merke und zurückkomme, nützt dir das nicht. Dann sind nämlich meine Mundnerven gelähmt, und ich kann dir den Spruch nicht mehr sagen!"

Und ein Tausendfüßler sagte gehässig: „Was gehen denn uns eure Schwierigkeiten an! Ihr schert euch auch nie um uns! Nur wenn ihr etwas braucht!"

Die Großmutter bekam eine riesige Wut und schimpfte die Asseln und die Tausendfüßler und die Schaben und die Spinnen: „Idioten und Deppen und Blödiane!"

Da verkrochen sie sich beleidigt in Winkel und Löcher und Ritzen. Während die Großmutter schimpfte, fuchtelte sie wild mit ihrem Krückstock herum und stieß an einen Turm aus Schachteln und

Kisten. Der Turm wankte und fiel um. Die oberste Schachtel ging auf. Zwei winzige rosa Hütchen fielen heraus. Die Hütchen waren aus Vogelfedern zusammengeklebt, hatten sehr schmale Krempen, und an den Krempen steckte eine rote Feder.

„Wozu gehören denn die Hüte?“ fragte die Chefin.

„Weiß nicht“, murmelte die Großmutter und fuchtelte weiter mit dem Krückstock herum. Da fiel wieder ein Turm aus verstaubten Schachteln um, und aus einer der Schachteln kugelten zwei Paar roter Schuhe mit hohen Absätzen.

„Wozu gehören denn die Schuhe?“ fragte die Chefin.

„Weiß nicht“, murmelte die Großmutter und fuchtelte weiter.

Die Chefin aber war neugierig geworden. Sie schlüpfte aus ihren Hausschuhen und stieg in ein Paar der roten Schuhe.

„Großmutter schau!“ rief sie. Sie rief so schrill, daß die Großmutter zu ihr schaute und den Krückstock fallen ließ. Die Frau Teufel sah wirklich sehr erstaunlich aus. Oben, von den Hörnern bis zur Taille, war sie ein Teufel wie immer. Aber von der Taille bis zu den roten Schuhspitzen war sie ein weiblicher Mensch, wie man sich keinen schöneren vorstellen kann. Da schlüpfte auch die Großmutter aus ihren Hausschuhen mit der Plattfußeinlage und stieg in die roten Schuhe und sah sofort — auf der unteren Hälfte — wie der Zwilling von der unteren Hälfte der Frau Teufel aus.

„Verstehst du das?“ fragte die Chefin.

„Nein“, sagte die Großmutter, „aber setzen wir einmal die Hüte auf!“ Die beiden griffen nach den rosaroten Hüten, drückten sie auf ihre Hörner und starrten einander an.

„Sehe ich auch so aus wie du?“ fragte die Großmutter.

„Falls ich keine Hörner und keine Warzen und keine Barthaare mehr habe, sondern blonde Locken und veilchenblaue Augen, dann bist du so wie ich!“

Da umarmte die Großmutter die Chefin, und sie tanzten einen Freudentanz. Nachher hockten sie sich auf eine Kiste mit Angstnachthemden, und die Großmutter erklärte der Chefin: „Wir fahren auf meinem Besen nach Boinstingl und gehen zu meiner alten Freundin, der Höllriegel. Die kennt die Brunners, und die nimmt es mit dem schlauesten Teufel auf, sag ich dir!"

Knapp eine Stunde später schlichen zwei wunderschöne Fräulein auf den roten Zehenspitzen die hinterste Höllenwand entlang zum Flugplatz. Das eine Fräulein trug einen Besen.

Der Flughafendirektor, ein uralter Teufel, schnarchte in einem kleinen Häuschen neben dem Flugplatz.

Die blonden Zwillingsfräulein schlichen zur Mitte des Flugplatzes und bestiegen den Besen. Die Großmutter murmelte den „Spezialfliegerspruch". Der Besen brummte leise. Der uralte Flughafendirektor zuckte im Schlaf zusammen.

„Hut festhalten", flüsterte die Großmutter. Der Besen brummte lauter, der uralte Flughafendirektor fuhr hoch. Der Besen hob sich in die Luft, der uralte Flughafendirektor schrie: „Halt!" Er sprang auf und wollte die Flugsignale auf Rot stellen, doch die Signalhebel waren ziemlich verrostet. Außerdem hatte er den Besen der Großmutter erkannt und war nicht sicher, ob er eine so mächtige Person wie die Großmutter am Fliegen hindern durfte. Er rannte zum Telefon und rief den Chef an.

Der Chef lag in der Badewanne im Schwefelschaum. Sein Kammerdiener nahm den Hörer ab. „Hier Chefbadezimmer", sagte er, und dann horchte er, und dann rief er zur Badewanne: „Höllische Gnaden, es wird angefragt, ob höllischer Gnaden Großmütterlichkeit in die Luft gehen darf!"

Der Teufel war müde vom Schwefelbad. Schwefelbäder machen schläfrig. Er murmelte: „Die Alte soll ruhig in die Luft gehen." (In der Hölle sagt man manchmal: Der geht in die Luft!, wenn man sagen will: Der ärgert sich.)

„Die soll ruhig in die Luft gehen", sagte der Kammerdienerteufel folgsam in die Telefonmuschel.

„Wer fragt denn da eigentlich so einen Blödsinn?" erkundigte sich Luzifer, während er seine Hörner mit Mahagoni-Horn-Festiger einrieb.

„Der Flughafendirektor, bitte!" sagte der Kammerdienerteufel.

Da sprang Luzifer aus der Badewanne, daß das Schwefelwasser überschwappte. „Bomben und Granaten!" brüllte er, „sofort stoppen! Ja nicht in die Luft gehen lassen!"

Der Kammerdienerteufel brüllte in den Hörer: „Bomben und Granaten, ja nicht in die Luft gehen lassen!"

Der uralte Flughafendirektor ließ den Telefonhörer fallen und rannte zu den Signalhebeln. Er riß sämtliche verrosteten Hebel herum. Doch es war bereits zu spät. Der Besen mit der Großmutter und der Chefin war längst verschwunden.

Der uralte Flughafendirektor nahm wieder den Telefonhörer in die Hand. „Entschuldigung", sagte er, „aber die sind weg. Die sind sicher schon auf dem Landeplatz am Hexenberg!"

Dann legte der uralte Flughafendirektor den Hörer auf und begann bitterlich zu weinen. Der Kammerteufel hatte ihm vom Chef bestellen lassen, daß er ab morgen wegen Untauglichkeit im Dienst in die Altersheimhölle versetzt werde.

Die Großmutter und die Chefin waren tatsächlich bereits am Hexenberg gelandet. Von dort flogen sie direkt nach Boinstingl auf das Dach der alten Höllriegel. Da das Haus elektrisch beheizt war und deshalb keinen Rauchfang hatte, stiegen sie beim Mansardenfenster hinein. Hierzu zogen sie die Schuhe aus und nahmen die Hütchen vom Kopf. Die alte Höllriegel, die im Mansardenzimmer fernschaute, sah also keine wunderschönen blonden Zwillingsfräulein durchs Fenster kommen, sondern zwei feuerrote Teufel und freute sich mächtig, weil sie ihre alte Freundin, die Großmutter, erkannte.

Die Höllriegel war sofort damit einverstanden, das Unglück und die Schlechtigkeit über die Brunners zu bringen. „Gebührt denen!“ keifte sie. „Dauernd hat sie matte Wischer in die Fenster geputzt!“

Die Höllriegel dachte nach, dann sagte sie: „Ich hab's! Die Brunner hat es nicht gern, wenn ihr Mann hübschen Mädchen nachschaut. Das hat sie mir selber gesagt. Die Brunner kann man also leicht eifersüchtig machen! Bloß gibt es in Boinstingl sehr wenig hübsche Mädchen, und die paar, die es gibt, die kümmern sich nicht um den Herrn Brunner!“

Die Großmutter und die Chefin schlüpften in die roten Schuhe und setzten die rosa Hütchen auf und fragten: „Sind wir hübsch genug?“

„Schön wie die Engel“, rief die alte Höllriegel, „und viermal so schön wie die Frau Brunner!“

Die Höllriegel, die Großmutter und die Chefin setzten sich zum Tisch und berieten.

„Die Brunner ist immer bis zwei Uhr aus dem Haus“, erklärte die Höllriegel.

„Und wo ist der Brunner?“ fragte die Großmutter.

„Im Büro natürlich, wo denn sonst!“

„Der muß sofort nach Hause“, rief die Frau Teufel, „im Büro kann man ihn sicher schlecht verführen!“

„Ich fahre zum Büro“, rief die Großmutter, „und schleiche mich ein und steche ihm einen Hexenschuß ins Kreuz. Dann muß er nach Hause gehen!“

Die Höllriegel schüttelte den Kopf. „Der ist so arbeitseifrig, der arbeitet sogar mit einem Hexenschuß!“

„Dann hau ich ihm eins über den Schädel, daß er ohnmächtig wird“, rief die Frau Chefin, „dann muß er nach Hause geführt werden!“

Die Höllriegel schüttelte wieder den Kopf. „Und dann liegt er ohnmächtig zu Hause. Einen Ohnmächtigen kann man nur schwer verführen!“

Das sahen die Großmutter und die Frau Teufel ein. Die Höllriegel meinte: „Ich weiß was viel Einfacheres!“ Sie holte das Telefonbuch und suchte nach der Nummer der Fabrik, in der der Herr Brunner angestellt war. „Hab sie schon!“ murmelte sie und wählte die Nummer. Dann verlangte sie den Oberbuchhalter Brunner zu sprechen. Während sie auf die Verbindung mit dem Oberbuchhalter wartete, hielt sie die Telefonmuschel zu und flüsterte: „Ich sag ihm, seine Katze ist krank. Die liebt er über alles! Da wird er gleich nach Hause rennen!"

Die alte Höllriegel nahm die Hand von der Muschel und rief mit sehr veränderter Stimme: „Ach, lieber Herr Brunner. Ich wohne ein paar Häuser weiter. Ich habe gerade gehört, wie Ihr armer Kater schreit. Dem muß was passiert sein! Er schreit, als ob er sterben müßte! Ganz entsetzlich schreit er!"

Die alte Höllriegel legte den Hörer auf.

„Er hat gesagt, er geht sofort nach Hause!"

„Aber wenn er sieht, daß der Kater gar nicht krank ist, dann wird er doch wieder ins Büro zurückgehen", meinte die Chefin.

„Da müßt ihr ihn eben daran hindern!" rief die alte Höllriegel, „schließlich gehört ihr ja zur Teufelselite, oder?"

Der Herr Brunner lief ins Chefzimmer, keuchte aufgeregt und sagte: „Herr Chef, ich glaube, ich habe eine Fischvergiftung. Mir ist so übel!"

Der Herr Chef schaute den Herrn Brunner an. Der Herr Brunner sah sehr bleich aus. „Na, Brunner", sagte der Chef milde, „dann gehen Sie nach Hause und legen sich ins Bett, aber schauen Sie, daß Sie die Vergiftung bis übermorgen loswerden, sonst schaffen Sie ihre Arbeit nicht!"

„Danke, Herr Chef", sagte der Herr Brunner und lief zur Tür hinaus, die Treppe hinunter und aus dem Haus. Vor lauter Sorge um seinen Kater vergaß der Herr Brunner sogar seinen Mantel im Büro. Er vergaß auch, die Leute zu grüßen, die ihm entgegenkamen und die ihn kannten, er vergaß auf der

Kreuzung auf dem Hauptplatz, auf das grüne Licht zu warten. Er rannte, so schnell er konnte, sperrte zitternd die Haustür auf, und weil er nirgends den Kater schreien oder wimmern hörte, dachte er schon, der Kater sei gestorben. Er wankte ins Wohnzimmer und sah Belze auf dem Katzenpolster liegen. Rund und zufrieden lag er da, schaute den Herrn Brunner erstaunt an und sagte: „Miau!“, und das hieß: „Was machst du denn zu Mittag zu Hause?“

Der Herr Brunner sank erleichtert auf die Sitzbank, und weil ihm immer noch der Schreck in den Knochen saß und weil auf dem Tischchen vor der Couch eine Flasche Slibowitz stand, nahm der Herr Brunner die Flasche und trank einen großen Schluck Schnaps. „Das beruhigt“, murmelte er. Und weil er noch nicht ganz beruhigt war, nahm er noch einen großen Schluck aus der Schnapsflasche und dann noch einen. Nun war er sehr beruhigt. Er legte die Beine auf die Sitzbank, schaute zum Kater und sah den Kater doppelt. Das beruhigte ihn noch mehr. Der Herr Brunner schloß die Augen, aber er schlief nicht richtig ein. Er döste vor sich hin. Plötzlich klingelte es an der Haustür. „Kater, mach auf“, murmelte der Herr Brunner. „Miau“, murmelte der Kater und das hieß diesmal: „Bist du blöd geworden? Ich kann doch nicht die Tür aufmachen!“

„Entschuldige, hab ich ganz vergessen“, sagte der Herr Brunner, stand auf und ging ins Vorhaus zur Haustür. Er schwankte leicht. Er war nicht an drei große Schlucke Schnaps gewohnt. Er öffnete die

Haustür und da standen zwei wunderschöne Fräulein mit roten Schuhen und rosaroten Hütchen. „Guten Tag, mein Fräulein", sagte der Herr Brunner und verbeugte sich. Er dachte, vor ihm stehe nur ein Fräulein. Er hatte ja auch vorher den Kater doppelt gesehen.

„Dürfen wir eintreten", sagte das eine Fräulein, und das andere Fräulein sagte gleichzeitig: „Wir müssen Sie sprechen!"

Da die doppelte Katze auch nur einmal „miau" gemacht hatte, schloß der Herr Brunner, daß doch zwei Fräulein vor ihm stehen mußten.

Darum sagte er: „Guten Tag, meine Fräulein!", und dann: „Bitte, treten Sie ein!"

Belze hatte, als es an der Tür klingelte, neugierig den Kopf gehoben. Die Fräulein traten ins Wohnzimmer. In Belze erschrak etwas. Er fühlte sich sehr unbehaglich und sehr bedrückt, aber er wußte nicht, warum.

„Bitte nehmen Sie Platz", sagte der Herr Brunner und rückte zwei Sessel zurecht. Die Fräulein setzten sich, aber bevor sie sich setzten, gab das eine Fräulein dem Belze heimlich einen Tritt und das andere Fräulein zischte leise: „Du Satansbraten, warte nur!"

Belze sprang mit einem Satz quer durch das Zimmer, verkroch sich hinter dem Gummibaum und fauchte. Er fauchte nicht drohend, sondern ungeheuer ängstlich. Er zitterte von der Schnurrbartspitze bis zur Schwanzspitze. Seit er eine Katze war, hatte Belze alles vergessen, außer Milch, Leber und warme Öfen. An die Hölle hatte er keinen Augenblick gedacht. Nun erinnerte er sich wieder an alles. An seinen Auftrag, an seinen Plan und an die Hölle! Und da konnten die zwei Fräulein noch so lieb und süß und schön lächeln. Um die Mundwinkel und tief drinnen in den veilchenblauen Fräuleinaugen sah Belze das rote Höllenfeuer flackern.

„Ach", rief das eine Fräulein, „könnte ich ein Gläschen Schnaps haben!"

„Ach", rief das andere Fräulein, „könnte ich eine Platte hören?"

„Ach, darf ich mir die Jacke ausziehen!"

„Ach, könnten Sie mir eine Zigarette geben?"

Der Herr Brunner schenkte Schnaps in Gläser, legte eine Platte auf den Plattenspieler, holte Zündhölzer aus der Küche, gab Feuer und kam gar nicht dazu, zu fragen, was die zwei Fräulein eigentlich wollten.

Belze hockte noch immer hinter dem Gummibaum und miaute kläglich. Er wollte den Herrn Brunner warnen. Der Herr Brunner verstand das natürlich nicht.

Die beiden Fräulein tranken etliche Gläser Schnaps, und der Herr Brunner mußte mittrinken. Dann wollten die Fräulein tanzen, und der Herr Brunner mußte mit ihnen auf dem Wohnzimmerteppich Rumba tanzen.

„Olé", riefen die Fräulein und wiegten die Hüften und lächelten dem Herrn Brunner zu.

Der Herr Brunner war vom Schnaps und der Schönheit der Fräulein so verwirrt, daß er tanzte und lächelte und nicht mehr fragte, warum die Fräulein eigentlich gekommen seien.

Schließlich war der Herr Brunner, der weder Schnaps noch Fräulein noch Tanzen gewohnt war, so erschöpft, daß er auf die Polsterbank fiel. Er stöhnte: „Oh, ich kann nicht mehr!"

„Ich auch nicht mehr", kicherte das eine Fräulein und ließ sich auf das rechte Knie vom Herrn Brunner fallen.

„Ich auch nicht mehr", kicherte das andere Fräulein und ließ sich aufs linke Knie vom Herrn Brunner fallen.

„Sie schwitzen ja, Sie Ärmster", sagten die Fräulein auf den Knien und wischten dem Herrn Brunner den Schweiß von der Stirn und gaben ihm auf jede Wange einen Kuß.

Genau in dem Augenblick, da die Fräulein den Herrn Brunner auf die Wangen küßten, riß die Frau Brunner die Wohnzimmertür auf. Sie starrte auf die Polsterbank, auf ihren Mann und die Fräulein und schluchzte: „Also doch!" In der Hand hielt die Frau Brunner einen Zettel, auf dem stand in Blockbuchstaben: „Während Sie arbeiten, betrügt Sie Ihr Mann zu Hause!" (Den Zettel hatte die alte Höllriegel unter die Scheibenwischer vom Auto der Frau Brunner gesteckt.)

„Nein, nein, liebe Frau", rief der Herr Brunner, „es ist nicht so, wie du glaubst! Es ist ganz anders!" Er wollte die beiden Fräulein von seinen Knien schieben, aber die beiden Fräulein ließen sich nicht wegschieben. Ganz im Gegenteil. Sie schlangen ihre

Arme um den Hals vom Herrn Brunner und sagten: „Was hast du denn, Schnuckiputzi?"

„Pfui, ich lasse mich scheiden", schluchzte die Frau Brunner. „Pfui, ich ziehe aus!"

„Nein, bitte nein", rief der Herr Brunner und versuchte die Fräulein zu vertreiben.

Belze — zitternd und hinter dem Gummibaum — versuchte nachzudenken, doch er war schon so lange ein Kater, daß er das Denken fast verlernt hatte. Zuerst dachte er nur: Keine Milch, keine Leber, kein warmer Ofen, wenn sie sich scheiden lassen! Und dann dachte er noch ein Stück weiter: Die zwei Fräulein sind die Chefin und die Großmutter. Die wollen mich zurück in die Hölle bringen! Sehr unangenehm!

Weiter kam Belze mit dem Denken nicht, denn jetzt sah er, daß der Herr Brunner keuchte und die Augen verdrehte; so stark umarmten ihn die Fräulein. Da sprang Belze. Er sprang mit den Vorderpfoten auf den einen rosa Hut und mit den Hinterpfoten auf den anderen rosa Hut. Er krallte sich im Federflaum fest. Die Hüte rutschten samt Belze über die blonden Locken. Die Fräulein kreischten entsetzt.

„Ogottogott", schrie die Frau Brunner.

Und der Herr Brunner schrie: „Mich trifft der Schlag!"

Den Herrn Brunner traf aber doch nicht der Schlag. Sein Blutdruck war zu nieder. Er zitterte jedoch wie Espenlaub und zitterte immer mehr, je länger er die total entzauberten Oberteile der Großmutter und der Chefin anstarrte. (Er hatte ja noch nie einen Teufel gesehen, nicht einmal einen halben.)

Die Großmutter und die Chefin aber waren nicht minder erschrocken. Sie sprangen auf. Die Großmutter sprang so ungeschickt, daß sie umkippte und plötzlich neben den roten Schuhen stand. Sie suchte an der Chefin Halt. Da kam auch die Chefin ins Wanken, fiel gegen den Tisch und verlor ebenfalls die roten Schuhe. Belze, der mit den zwei Hütchen unter den Tisch gekrochen war, gab jedem Schuh einen Schubs, und die Schuhe sausten unter die Sitzbank. Dann packte sich Belze die beiden Hütchen ins Maul und sprang mit ihnen, so schnell er konnte, zum Fenster hinaus.

„Satansbraten, Hut her! Hut her!" hörte er hinter sich die Chefin brüllen.

Und die Großmutter schrie: „Teufelslaus, meine Schuhe her!"

Belze scherte sich nicht um das Gebrüll. Er ließ die Hütchen fallen, ein heftiger Windstoß hob sie hoch und trieb sie über die Dächer davon.

Die Großmutter und die Chefin kletterten zum Wohnzimmerfenster hinaus. Sie sahen fürchterlich furchtbar aus. Belze sauste über den Zaun zu seinem ehemaligen Küchenfenster hinein. Die Großmutter und die Chefin hinterher. Belze flitzte durch sein ehemaliges Haus, beim offenen Vorhausfenster auf die Straße. Die Großmutter und die Chefin trampelten kreischend nach, doch Belze gewann einen großen Vorsprung, da die beiden erst einmal die klemmende Haustür eintreten mußten.

Belze galoppierte zum Hauptplatz hinunter. Die Großmutter und die Chefin kamen eben aus dem Haus heraus. Belze drehte sich im Rennen um und sah, daß die Großmutter vor lauter Zorn grüne Funken sprühte und die Chefin violett leuchtende Wuthörner hatte.

Als die Leute auf der Straße die beiden Teufel sahen, blieben sie natürlich erstaunt stehen und schauten neugierig. Ein Mann sagte, das sei sicher die neueste Reklame für den neuesten Teufelsfilm. Und die zwei Teufel, die da die Straße entlangkeuchten, seien garantiert die Hauptdarstellerinnen des Films. Und heute abend sei ganz gewiß die Uraufführung des neuesten Teufelsfilms. Da waren die anderen Leute nicht mehr zu halten. Sie rannten noch schneller als die Großmutter und die Chefin, holten sie ein, umringten sie und wollten Autogramme haben. „Mir ein Autogramm, mir zwei — eines für meinen Bruder, mir drei — zwei für meine Tanten!“ Die Leute hielten der Großmutter und der Chefin Zettel unter die Nase und Kugelschreiber vor die Finger.

„Aufhören, durchlassen!“ schrie die Großmutter. Keiner scherte sich darum. Eine junge Frau riß der Chefin die halbe Schwanzquaste aus und der Großmutter ein Büschel Bauchhaare. „Als Andenken an die Stars“, sagte die junge Frau.

Ein alter Herr packte die Großmutter am linken Horn, zog sie zu sich und gab ihr einen Kuß. „Ich verehre Sie seit Jahren als größte Teufelsdarstellerin unter der Sonne!“ sagte er dazu.

Die Leute wurden immer mehr und mehr und drängten immer mehr und mehr. Sie drückten der Großmutter Kugelschreiber in die Hand, damit sie Autogramme unterschreiben konnte. Die Großmutter wußte aber leider gar nicht, was ein Autogramm ist. Sie sah nur die Kugelschreiber. Und obwohl sie ganz verzweifelt war, ließ sie doch noch alle Kugelschreiber schnell in ihrer Bauchtasche verschwinden.

Die vielen Leute wurden aber immer ungeduldiger, weil sie kein Autogramm bekamen, und dann merkten sie, daß die Kugelschreiber weg waren, und beschuldigten sich gegenseitig, die schönen Kugelschreiber gestohlen zu haben, und fingen eine enorme Prügelei an. Da die Großmutter und die Chefin mitten in der Prügelei drinnen steckten, bekamen sie eine Menge Hiebe ab, und irgend jemand trat die Großmutter derart heftig mit einem Nagelschuh auf den Plattfuß, daß die Großmutter zum erstenmal in ihrem ewigen Leben ohnmächtig wurde. Die Chefin fing die ohnmächtige Großmutter auf und fiel beinahe selber in Ohnmacht, weil ihr ein Mann seine schwere Aktentasche auf die Hörner knallte.

Plötzlich pfiff jemand unerhört laut auf einer Trillerpfeife. Die Leute rauften und brüllten ein bißchen weniger. „Was geht hier vor!“ fragte der Polizist im weißen Mantel, den Belze für einen Engel gehalten hatte.

Während die Leute dem Polizisten vom Teufelsfilm, den Stars und den Kugelschreibern berichteten, schulterte die Chefin die Großmutter, ließ einen ungeheuren Höllenfurz und machte sich davon.

An der Straßenkreuzung traf sie auf die alte Höllriegel. Die hatte den Hexenbesen zwischen den Beinen und wollte fliegen üben. Die Chefin entriß der Höllriegel den Besen. „Den Zuständen hier bin ich nicht gewachsen", keuchte sie, legte die ohnmächtige Großmutter quer über den Besenstiel, schwang sich auf den Besen und startete.

„So warte doch", rief die alte Höllriegel, aber der Besen war bereits in der Luft. Die Großmutter erwachte aus der Ohnmacht. Sie brüllte zur Höllriegel hinunter: „Mich siehst du hier nie mehr!"

„Mich auch nicht!" rief die Chefin, doch der Besen war schon so weit oben in der Luft, daß ihre Stimme kaum zu hören war.

Belze, der das alles aus dem sicheren Versteck einer Hausnische beobachtete, wartete, bis der Besen ein winziger Tupf am Himmel war, dann rannte er nach Hause.

Die Brunners lagen im Bett und hatten große Eisbeutel auf der Stirn. Der Herr Brunner murmelte: „Das war ein böser Traum!"

Die Frau Brunner murmelte: „Der böseste Traum meines Lebens!"

Und dann murmelten sie im Chor: „Hauptsache, er ist vorüber!"

Belze sah, daß der Herr Brunner nach der Hand der Frau Brunner griff und ihr zärtlich über die Finger strich. Da sprang Belze mitten auf das Bett und sagte: „Miau!", und das hieß diesmal: „Wir haben es geschafft! Die Milch und die Leber und der warme Ofen sind gerettet!"

rotfuchs im Unterricht
Ideen und Materialien für Lehrerinnen und Lehrer

herausgegeben von Malte Dahrendorf und Peter Zimmermann

Breest, Tollwut
Bestell-Nr. 77 87 93

Burger, Warum warst du in der Hitler-Jugend
Bestell-Nr. 77 84 59

Dahl, Sophiechen und der Riese
Bestell-Nr. 77 84 67

Degener, Geht's uns was an?
Bestell-Nr. 77 88 07

Ermatinger, Die 13. Prophezeiung
Bestell-Nr. 77 84 75

Feid, Keine Angst, Maria
Bestell-Nr. 77 88 15

Ganter, Die Sprüchemacher
Bestell-Nr. 77 84 83

Grün, Vorstadtkrokodile
Bestell-Nr. 77 84 91

Haß, Teufelstanz
Bestell-Nr. 77 85 05

Hüttner, Komm, ich zeig dir die Sonne
Bestell-Nr. 77 85 21

Jung, Kleine Hände, kleine Fäuste
Bestell-Nr. 77 88 23

Kekulé, Ich bin eine Wolke
Bestell-Nr. 77 85 48

Kekulé, Das Blaue vom Himmel
Bestell-Nr. 77 85 3X

Korschunow, Wenn ein Unuguno
Bestell-Nr. 77 88 31

Kirchner, Wir durften nichts davon wissen
Bestell-Nr. 77 85 56

Kühn, ... trägt Jeans und Tennisschuhe
Bestell-Nr. 77 85 64

-ky, Heißt du wirklich Hasan Schmidt?
Bestell-Nr. 77 85 72

Ladiges, Hau ab, du Flasche!
Bestell-Nr. 77 85 80

Ladiges, Mach Druck, Zwiebelfisch!
Bestell-Nr. 77 85 99

Lang, Wenn du verstummst...
Bestell-Nr. 77 86 02

Möckel, Kasse knacken
Bestell-Nr. 77 86 10

Naumann, Die schnelle Mark
Bestell-Nr. 77 86 29

Ney, Sie haben mich zu einem Ausländer gemacht...
Bestell-Nr. 77 88 4X

Nöstlinger, Der liebe Herr Teufel / **Sommer-Bodenburg**, Der kleine Vampir zieht um. Das Biest, das im Regen kam.
Bestell-Nr. 77 86 37

Nöstlinger, Wir pfeifen auf den Gurkenkönig
Bestell-Nr. 77 86 45

O'Sullivan / Rösler, I like you
Bestell-Nr. 77 86 53

Rodrian, Blöd, wenn der Typ draufgeht
Bestell-Nr. 77 86 61

Schaaf, Plötzlich war es geschehen
Bestell-Nr. 77 86 7X

Schulte-Willekes, Schlagzeile
Bestell-Nr. 77 86 88

Selber, Faustrecht
Bestell-Nr. 77 88 58

Steenfatt, Nele
Bestell-Nr. 77870X

Steenfatt, Haß im Herzen
Bestell-Nr. 778696

Welsh, Einmal 16 und nie wieder
Bestell-Nr. 778866

Wendt, Fehler übersehen sie nicht...
Bestell-Nr. 778874

rotfuchs im Unterricht Ideen und Materialien für Lehrerinnen und Lehrer

(herausgegeben von Ingrid Röbbelen)

Hetmann/Tondern, Die Nacht, die kein Ende nahm
Bestell-Nr. 778513

Hetmann/Tondern, Die Rache der Raben
Bestell-Nr. 778882

rotfuchs im Unterricht Ideen und Materialien für Lehrerinnen und Lehrer

(herausgegeben von Hans Heino Ewers, Volker Prauß, Rainer Köthe und Ingrid Röbbelen)

Blaich, Philipp Otto Runge, Die Hülsenbeckschen Kinder
Bestell-Nr. 778742

Hentschel, Jajas Klau
Bestell-Nr. 778785

Hoffmann, Klein Zaches genannt Zinnober
Bestell-Nr. 778777

Jockel, Pieter Bruegel, Das Schlaraffenland
Bestell-Nr. 778734

Jockel, Antoine Watteau, Die italienische Komödie
Bestell-Nr. 778769

Lieckfeld/Straaß/Lausche, Meine Katze
Bestell-Nr. 778726

Poe, Der Goldkäfer
Bestell-Nr. 778750

Walter/Kolb, Mein Baum
Bestell-Nr. 778718

Bezugsbedingungen

Sie erhalten die Lehrerhefte (am schnellsten) per Scheck (an Rowohlt Taschenbuch Verlag, Postfach 1349, 21453 Reinbek) **oder** gegen Überweisung von DM 2,00 / öS 15,00 / sFr 2,00 (incl. Porto) bei einer **Mindestbestellmenge von 3 Exemplaren** auf unser Konto (**Hamburger Sparkasse, BLZ 200 505 50, Konto-Nr. 1280 / 163 005**).
Bitte geben Sie auf dem Überweisungsformular unbedingt den Verwendungszweck ‹Lehrerhefte›, die Bandnummer und Ihre **vollständige Adresse** an. Der Versand der Hefte erfolgt gleich nach Eingang Ihrer Zahlung.